LAS MUJERES DEL ANTIGUO TESTAMENTO

Sus vidas son nuestra esperanza

PÍA SEPTIÉN

One Liguori Drive ▼ Liguori, MO 63057-9999

Imprimi Potest:
Harry Grile, CSsR
Provincial de la Provincia de Denver
Los Redentoristas

Publicado por Libros Liguori
Liguori, MO 63057-9999

Para hacer pedidos llame al 800-325-9521.
www.librosliguori.org

Library of Congress Cataloging-in-Publication Data

Septién, Pía.
    Las mujeres del Antiguo Testamento : sus vidas son nuestra esperanza / Pía Septién. — 1. ed.
      p. cm.
    ISBN 978-0-7648-2054-0
    1. Women in the Bible—Meditations. 2. Bible. O.T.—Meditations. 3. Catholic Church—
Prayers and devotions. I. Title.
    BS575.S42 2011
    242'.64308968—dc23

                                   2011029975

Las citas bíblicas son de *La Biblia Latinoamérica: Edición Pastoral*
(Madrid: San Pablo, 2005). Usado con permiso.

Libros Liguori, una corporación sin fines de lucro, es un apostolado de los
Redentoristas. Para más información, visite *Redemptorists.com*.

Impreso en Estados Unidos de América
15 14 13 12 11 / 5 4 3 2 1
Primera edición

ÍNDICE

▼▼▼▼▼▼▼

Para César, mi esposo,
quien me mantiene
con los pies firmes en la tierra
y los ojos fijos en el cielo.

INTRODUCCIÓN

▼▼▼▼▼▼▼

El libro que tienes entre las manos, como su nombre lo indica, trata sobre algunas mujeres cuyos nombres e historia aparecen en el Antiguo Testamento. Con toda seguridad algunas de ellas te serán familiares, como Rut, Ana, Miriam y Abigail. ¡Que bueno! Quizá esta sea tu oportunidad para conocer a otras mujeres cuyas historias no son tan afamadas, como: Lia, Mical, Agar, Sifra y Pua. Lo interesante es que todas tienen grandes lecciones que enseñarnos.

Aunque hayan transcurrido miles de años desde que se escribió sobre ellas, sus vidas son para nosotros tan actuales como las noticias de hoy. ¿Por qué? Porque Dios, con su presencia y cuidado, su providencia y amor, estaba entonces presente en sus vidas como lo está actualmente en las nuestras. Nosotros, al igual que ellas, vivimos en un mundo donde nos enfrentamos a todo tipo de experiencias positivas y negativas.

Ellas, como nosotros, se enojaban, se alegraban, se indignaban, se contentaban. Quizá se vieron en la necesidad de dejar su tierra para buscar nuevos horizontes y oportunidades, buscaban ser fieles a Dios, sirvieron a sus hermanos los hombres, no podían tener hijos, cuidaban de la suegra y de los no nacidos, oraban, enviudaban, eran usadas y abusadas. Su historia es nuestra historia.

La finalidad de este libro es que conozcamos sus vidas, reflexionemos sobre ellas, aprendamos profundicemos y asimilemos lo mucho que tienen que enseñarnos.

En sus momentos de fortaleza se parecen a nosotros, sus debilidades las consumen como nos consumen a nosotros. Es así como sus vidas se convierten en nuestra esperanza.

El libro esta dividido en diez capítulos, cada uno de ellos dedicado a una de las mujeres del Antiguo Testamento que nos ocupan en esta ocasión. Dentro de cada capitulo encontrarás una breve introducción al personaje, las citas bíblicas sobre ella, la historia bíblica desarrollada de manera más extensa, las diversas enseñanzas -positivas y negativas, que aprendemos de ella; enseñanzas del Catecismo de la Iglesia Católica relacionadas con el tema, un cuestionario que busca ayudar a la reflexión personal y actividades para compartir en grupo para finalizar con algunas ideas o propósitos que se pueden poner en practica para llevar lo que hayamos aprendido a los demás y así, hagamos de nuestra familia, nuestra comunidad y del mundo, un mejor lugar.

Se recomienda leerlo ya sea de manera individual o estudiarlo en grupo. Fue escrito pensando en la necesidad que el mundo tiene de que reflexionemos, de que no seamos unos simples repetidores de ideas, sino que seamos capaces de profundizar, analizar, sacar conclusiones y poner en práctica los propósitos que nos hayamos marcado.

No queriendo entretenerte más, te dejo en compañía de diez mujeres del Antiguo Testamento.

I.
MUJERES
A FAVOR
DE LA VIDA

CAPÍTULO 1

▼▼▼▼▼▼▼

RUT
buena nuera y fiel amiga

"'La caridad es benigna', no sólo sabe 'ver' al 'otro', sino que se abre a él, lo busca, va a su encuentro. El amor da con generosidad[...] Y cuán frecuentemente, sin embargo, nos cerramos en la caparazón de nuestro 'yo', no sabemos, no queremos, no tratamos de abrirnos al 'otro', de darle algo de nuestro propio 'yo', sobrepasando los límites de nuestro egocentrismo o quizá del egoísmo, y esforzándonos para convertirnos en hombres, mujeres, 'para los demás', a ejemplo de Cristo".

Homilía del Santo Padre Juan Pablo II,
Visita pastoral a la parroquia romana de La Ascensión
Domingo, 3 de febrero de 1980.

Objetivo

En una sociedad donde los ancianos y algunas otras relaciones familiares o sociales son percibidas como una carga, Rut se nos presenta como una mujer amorosa, capaz de atender las necesidades de Noemí su suegra. Al mismo tiempo, nos encontramos con el cuidado amoroso de Dios hacia las dos viudas.

Profundizaremos en una historia bíblica donde veremos la realidad de la vida humana, esto es, en la vida humana hay momentos difíciles, pero también de gran alegría. Aquí se tocan temas centrales de la vida humana: el desamparo, la soledad, la tristeza, la vejez, la dependencia; a la vez que se nos presentan actos de amistad, lealtad, esperanza y, finalmente, de salvación.

Al leer sobre la azarosa vida de Rut, en compañía de su suegra Noemí; al tener conocimiento de sus "ires y venires", sus sufrimientos y alegrías, podremos ver reflejada nuestra propia vida.

Texto bíblico: *Rut 1-4*

Introducción al personaje

¿Quién es Rut?

Rut es una mujer moabita, esto es, procedente de un territorio que se encuentra al este del Mar Muerto. Actualmente ese territorio es Jordania. Se casa con un hebreo llamado Majlón, quien había llegado a Moab con sus padres huyendo de la hambruna que se había desatado en Belén de Judá, su tierra natal. Con el paso del tiempo su esposo muere y ella se solidariza con su suegra Noemí, quien también es viuda y cuyos dos hijos habían muerto.

Cuando Noemí se entera de que ya había alimento en su tierra natal, decide regresar. Rut, no queriendo dejarla sola, regresa con ella.

De acuerdo con la ley hebrea, Rut y Noemí, viudas y sin hijos, pasaban a ser responsabilidad del pariente más cercano, conocido como *goel*. Esta palabra significa "redentor". El redentor estaba obligado a ayudar a sus parientes necesitados, además de tener derecho a reclamar el patrimonio que sus familiares hubiesen perdido. Así es como Rut entra en contacto con Booz, un pariente de su marido. Booz, quien aprecia la lealtad que Rut ha tenido para con Noemí, le permite recoger cebada y trigo en su campo e instruye a sus trabajadores para que no la molesten.

La historia continua narrándonos los avatares legales por los cuales pasa Booz para ejercer su derecho a actuar como *goel* de Rut. Y ¡oh sorpresa, termina casándose con ella! Juntos tienen un hijo llamado Obed, que será el abuelo del Rey David.

Desarrollo de la historia bíblica

La historia de Rut inicia como muchas historias de la vida del ser humano, es decir, con la necesidad de dejar la propia tierra, el lugar donde nacimos y crecimos, todo ello para buscar una vida mejor. El libro de Rut nos cuenta cómo en la tierra de Belén había una hambruna. Dicha hambruna fuerza a Elimélec a tomar a su esposa Noemí y a sus dos hijos, Majlón y Kilión, e irse a la tierra de Moab.

A la tragedia de tener que dejar la propia tierra, se une una segunda tragedia: la muerte de Elimélec, esposo de Noemí. Los hijos se casaron con unas mujeres moabitas: Rut y Orfá. Esto puede parecer lógico y pacífico al lector moderno, pero no lo era para la cultura hebrea del siglo V a.C., a la cual pertenecían los hermanos.

La historia nos narra como después de diez años murieron los hermanos dejando viudas y sin hijos a sus respectivas esposas. Las cosas se complican todavía más, pues se trata ahora de tres mujeres viudas: Noemí, Rut y Orfá, y ninguna tiene hijos. Cabe notar que, para aquella sociedad, la presencia del esposo y de los hijos varones era indispensable para sobrevivir, ya que eran ellos los encargados de velar por el bienestar de sus esposas, madres, hermanas e hijas.

Así, las tres mujeres forma una comunidad para sobrevivir en una sociedad en que no poseían ninguna seguridad, libertad o certeza. Su porvenir era incierto, a no ser que alguna de ellas se casase nuevamente. Noemí, Rut y Orfá crean una comunidad como las que se han formado a lo largo de la historia de la humanidad. Nosotros, hoy en día, formamos parte de comunidades en las que nos unen vínculos o intereses comunes como nuestra familia, la familia política, el grupo de amigos o vecinos, la comunidad de la iglesia, etc. También nosotros, en cierto modo, buscamos sobrevivir.

La época de hambruna se acaba en Belén de Judá y Noemí decide volver a su tierra en compañía de Rut y Orfá. A mitad de camino, Noemí decide que no es justo pedirles a las dos jóvenes que dejen su familia, su tierra y la posibilidad de volver a casarse y tener hijos, por seguirla, y es así que las anima a regresar a la casa de su madre.

Inicialmente la respuesta de ambas fue: "iremos contigo a tu pueblo". Posteriormente Orfá, entre llantos, decide regresar a su familia. Bendita libertad, gran regalo de Dios a los hombres, que permitió a Orfá y a Rut, y nos permite a nosotros seguir la voz de nuestra conciencia. Orfá regresa a casa mientras que Rut se queda con Noemí. Podríamos caer en la tentación de querer juzgar a Orfá como una persona egoísta. De ser así, nuestro juicio sería muy duro. ¿Sabemos por qué tribulaciones estaba pasando su corazón? ¿Conocemos las dificultades a las que se enfrentaba? Quizás Orfá simplemente busca la seguridad de lo conocido, de su familia, la vida común y corriente.

Así encontramos que existen en el mundo mujeres como

Orfá, que viven una vida ordinaria, pasando los días, meses y años en el anonimato, sin realizar actividades que aparezcan en los periódicos o que queden registradas en libros. Esas mujeres son fieles al trabajo diario, escondido, poco vistos; pero tan necesario, verdaderamente heroico. Ese trabajo constante y callado es el que va edificando la familia, la sociedad y, en definitiva, el mundo.

Pero así como en el mundo necesitamos a muchas "Orfá", también necesitamos a mujeres como Rut: decididas, esforzadas y emprendedoras. Son las que llevan a cabo grandes iniciativas, las que "se juegan el todo por el todo", personas que son capaces de seguir la voz de su conciencia invitándolas a hacer el bien cueste lo que cueste.

La historia de Rut nos enseña la grandeza del amor humano, del amor desinteresado y generoso, capaz de olvidarse de sí mismo para darse a los demás, aun cuando "los demás" no sean de la misma edad, cultura, raza, religión o país. Es el amor que supera los límites creados por los seres humanos y nos hace ver cuán duro puede ser el sufrimiento, la pérdida de los seres queridos y la aflicción. Así lo vemos en Rut quien le dice a Noemí:

> "No me obligues a dejarte yéndome lejos de ti, pues a donde tú vayas, iré yo; y donde tú vivas, viviré yo; tu pueblo será mi pueblo y tu Dios será mi Dios. Donde tú mueras, allí también quiero morir y ser enterrada yo" (Rut 1:16-17a).

Noemí y Rut regresan a Belén en medio de su angustiosa realidad. Rut ha perdido no sólo a su esposo, sino también su país, sus dioses y su familia. Noemí, por su parte, ha perdido a su esposo, a sus dos hijos y la posibilidad de tener nietos. Aunado a lo anterior, ninguna de las dos cuenta con la figura de un hombre que cuide de ellas. Tan grande es el dolor de Noemí, que a su llegada a Belén lo expresa abiertamente:

Y continuando el camino llegaron las dos a Belén. Todo la gente se impresionó al verlas llegar. Y como Noemí se diera cuenta de que las mujeres comentaban: «¿Pero no es ésta Noemí?», les dijo: «No me llamen por mi nombre, sino díganme Amarga, porque el Todopoderoso me ha llenado de amargura. Partí con todo, y el Señor me hace volver con las manos vacías. ¿Para qué, pues, me llaman Noemí, cuando Yavé me ha condenado a ser una desgraciada?» (Rut 1:19-21)

Ésta es una enseñanza más de la presente historia: cada persona sobrelleva el dolor de diferente manera. Noemí es abierta y franca en la manera como expresa su dolor, mientras que Rut es más discreta. De hecho, en el libro no se nos dice absolutamente nada de sus sentimientos, ni cuando muere su esposo, ni cuando sale de su tierra. Vemos como una comparte su dolor con los demás y la otra lo guarda para sí. Aprendamos a respetar la manera como los demás sobrellevan sus sufrimientos, aunque eso no significa que los dejemos solos. Debemos acompañarlos, pero sin abrumarlos.

Una vez en Belén, las dos mujeres viudas tienen solamente una opción para sobrevivir: recoger espigas en los campos donde se esta levantando la cosecha. La ley hebrea preveía que se dejase parte de la cosecha para que los pobres la recogiesen. Rut pide a su suegra que le permita ir a recoger espigas al campo. ¿Sería coincidencia o providencia divina el que Rut haya ido, sin saberlo ella, a recoger espigas al campo de Booz, un pariente rico de su difunto esposo?:

"Booz preguntó al capataz de la cuadrilla de segadores: «¿De quién es esa joven?» Y el empleado le contestó: «Es la moabita que acaba de regresar de Moab con Noemí. La autoricé para que recogiera las espigas que dejan los segadores, y es lo que ha hecho toda la mañana sin parar.» Booz, dirigiéndose entonces a Rut, le dijo: «Oye, hijita, no vayas a recoger espigas a otra parte. Quédate aquí y no te separes de los trabajadores. Síguelos a cualquier potrero donde vayan a segar. Yo les daré órdenes de que no te molesten. Y si tienes sed, no tienes más que acercarte a los cántaros donde tienen agua»" (Rut 2:5-9).

Cuando Rut le pregunta a Booz por qué ha sido tan generosa con ella, Booz responde que le han contado cuán generosa ha sido con Noemí. Además, le informa que ha llegado a Belén, la tierra del Dios de Israel, bajo cuya protección ahora se encuentra:

"Que Yavé te recompense tus buenas obras y que el Dios de Israel, bajo cuyas alas te has cobijado, te dé el premio que mereces" (Rut 2:12).

Por su parte, Noemí advierte la mano de Dios en todos esos acontecimientos:

«¡Pero si el dueño de esos campos es Booz! ¡Bendito sea Yavé, que siempre se muestra tan bueno con los vivos y los muertos! Ese hombre es pariente nuestro; a él, entre otros, le corresponde rescatarnos» (Rut 2:20).

Ambos reconocen la presencia de Dios en medio de los acontecimientos. ¿Somos capaces nosotros de reconocer la presencia de Dios en nuestras vidas?

Continuando con la historia, ¡Noemí trama un insólito plan de acción para que Rut y Booz se casen! Desde luego que las mujeres tenemos iniciativa y capacidad para poner en práctica los más descabellados planes cuando lo consideramos necesario:

"Noemí dijo a su nuera: «Hija mía, ¿no es mi obligación asegurarte un porvenir tranquilo? Pues bien, Booz, nuestro pariente, con cuya gente has estado trabajando, va a trillar la cebada esta tarde. Tú debes, por lo tanto, hacer lo siguiente: Lávate, perfúmate, vístete lo mejor que puedas y vete a su era, pero no te dejes ver hasta que haya terminado de comer y beber. Fíjate bien dónde se va a acostar, y cuando ya esté durmiendo, acércate, levanta las mantas que tenga a sus pies y acuéstate allí. El te dirá entonces lo que debas hacer»" (Rut 3:1-4).

Vemos como los personajes planean y actúan confiando en la bondad de los otros. Noemí espera que Booz se comporte a la altura y se case con Rut y Rut espera que su suegra no se equivoque. En nuestra vida sucede lo mismo. Llega un momento en que las cosas no pueden seguir como van, en que es indispensable actuar, por lo tanto es necesario tomar decisiones y actuar confiando en Dios y en los demás.

El resto de la historia de Rut se desenvuelve dentro de intrincados vericuetos legales, relacionados con los derechos que tenía el pariente más próximo a comprar el campo de Noemí y casarse con Rut. Al final, este derecho corresponde a Booz.

Al ver esto, Booz dijo a todos los que estaban presentes:

"Ustedes son testigos de que hoy día Noemí me ha vendido todo lo que pertenecía a su marido Elimelec y a sus hijos, y de que también he adquirido a Rut, la moabita, viuda de Majalón, para conservar el apellido junto con la propiedad del difunto y para que su nombre esté siempre presente entre sus hermanos, cuando se reúnan a la entrada de la ciudad" (Rut 4:9-10).

Lo que comienza como una tragedia, termina felizmente con la boda de Rut y Booz y el nacimiento de Obed, quien es para Noemí la alegría de su vejez; para Booz, el hijo que le permitirá perpetuarse; para Elimélec, la garantía de que su memoria se inmortalizará; para el pueblo de Israel, el abuelo de su querido rey David y, para Rut, un lugar en la genealogía de Jesús, que hace que la recordemos cada vez que leemos el evangelio de Mateo:

> "Documento de los orígenes de Jesucristo, hijo de David e hijo de Abraham. Abraham fue padre de Isaac, y éste de Jacob. Jacob fue padre de Judá y de sus hermanos.De la unión de Judá y de Tamar nacieron Farés y Zera. Farés fue padre de Esrón y Esrón de Aram. Aram fue padre de Aminadab, éste de Naasón y Naasón de Salmón.Salmón fue padre de Booz y Rahab su madre. Booz fue padre de Obed y Rut su madre. Obed fue padre de Jesé. Jesé fue padre del rey David" (Mateo 1:1-6a).

Culmina la historia de Rut mostrándonos lo que se puede hacer trabajando en equipo: entre Rut, Noemí y Booz se logra continuar la línea de descendencia. Y ahí, entre bambalinas, se percibe la acción amorosa de Dios velando por su Pueblo.

¿Qué nos enseña Rut?

El libro de Rut está compuesto tan sólo de cuatro capítulos, pero dentro de estos breves capítulos encontramos una gran cantidad de enseñanzas:

► Nos narra una historia que inicia con la hambruna, la partida de la tierra donde se ha vivido y la muerte de un esposo. Sin embargo, la historia termina con un matrimonio, el nacimiento de un hijo y la recuperación de la tierra. Corrobora el refrán que dice: "No hay mal que dure cien años."

► Nos enseña las dificultades por las que tiene que atravesar una familia para sobrevivir en circunstancias adversas.

- ▶ Nos muestra cómo la entrega amorosa nace cuando se ponen las necesidades de los demás antes que las propias.
- ▶ Nos demuestra que cada decisión es una nueva oportunidad para hacer el bien.
- ▶ Nos muestra cómo Rut y Noemí tienen que tomar decisiones bajo circunstancias difíciles, en las cuales no tienen mucho campo de acción, estando limitadas por condiciones de pobreza, soledad y desamparo.
- ▶ Nos confirman algo que ya sabemos, pero que es necesario recordar: por más duras que sean las circunstancias, por más difíciles que parezcan las cosas, ¡tenemos que actuar! No podemos quedarnos con los brazos cruzados. Rut y Noemí así lo hicieron. Hay un refrán muy repetido en Norteamérica que dice: "Si la vida te da limones, haz limonada". Ellas hicieron limonada con los limones que tenían a su alcance.
- ▶ Nos enseña que, para tener una relación humana que valga la pena, que dure largos años y que prevalezca a pesar de las dificultades, todas las partes involucradas deben poner su granito de arena. Toda relación requiere compromiso, fidelidad y lealtad.
- ▶ Nos muestra la relación de dos mujeres que caminan juntas en las buenas y en las malas: en casamientos, en la muerte de sus esposos, en el traslado a otra tierra, en la pobreza, en el trabajo para subsistir, en volverse a casar y en el nacimiento de un bebé.
- ▶ Nos enseña la importancia de la comunidad para poder vivir y, algunas veces, hasta para poder sobrevivir.
- ▶ Nos prepara para comprender mejor el sufrimiento y cómo, aun llevándonos por situaciones confusas y caóticas, nos hace más humanos, más sensibles a las necesidades de los demás, menos críticos y, desde luego, más agradecidos.

- ▶ Nos muestra cómo siempre hay esperanza, aun cuando todo parezca perdido.

- ▶ Nos habla de las penas que se presentan de manera inesperada en nuestras vidas y de aquellas personas que nos ayudan en momentos difíciles, en momentos en que todo parece perdido.

- ▶ Advertimos cómo la relación de las dos mujeres continúa, aun cuando una de ellas ya está casada con Booz. Vemos cómo la fortuna de una, no se convirtió en la desgracia de la otra. Por el contrario, la bendición obtenida por Rut al tener un esposo y un hijo, se convierte para Noemí en la posibilidad de tener una familia.

¿Qué nos dice el *Catecismo de la Iglesia Católica*?

§1604: Dios que ha creado al hombre por amor lo ha llamado también al amor, vocación fundamental e innata de todo ser humano. Porque el hombre fue creado a imagen y semejanza de Dios (Gn 1:2), que es Amor (cf 1 Jn 4:8.16). Habiéndolos creado Dios hombre y mujer, el amor mutuo entre ellos se convierte en imagen del amor absoluto e indefectible con que Dios ama al hombre. Este amor es bueno, muy bueno, a los ojos del Creador (cf Gn 1:31). Y este amor que Dios bendice es destinado a ser fecundo y a realizarse en la obra común del cuidado de la creación. "Y los bendijo Dios y les dijo: "Sed fecundos y multiplicaos, y llenad la tierra y sometedla"" (Gn 1:28).

§1730: El hombre creado por Dios es un ser racional.

§1731: La libertad es la capacidad para actuar de acuerdo a la razón y la voluntad.

§1738: La libertad es un derecho natural del ser humano.

§1747: Derecho a ejercer la libertad, especialmente la religiosa.

§1935: La igualdad del hombre emana de su dignidad.

Cuestionario para la reflexión personal

- ¿Qué es la amistad para mí?
- ¿Qué cualidades tienen las personas que son mis amigos?, ¿qué me agrada de ellas?
- ¿Cómo son aquellas personas con las que simplemente no puedo convivir?
- ¿Veo en mi vida la mano amorosa de Dios que me da "el pan de cada día"?
- ¿He tenido una amistad con alguna persona como la que tuvieron Rut y Noemí? ¿Una amistad que haya pasado por momentos alegres y por momentos difíciles?
- ¿Me he aprovechado de alguna amistad? ¿Qué puedo hacer para restituirle a esa persona el mal que le hice?
- ¿Me ha sucedido que una persona, que se decía ser mi amiga, se haya aprovechado de mí? ¿Qué sentí? ¿Qué siento ahora?
- ¿Cómo trato a las personas ancianas que me rodean? ¿Tengo paciencia con ellas?, ¿les ayudo?, ¿encuentran en mí un apoyo o una mala cara?
- ¿He percibido la mano amorosa de Dios en mi vida? ¿Cuándo y cómo?
- ¿Vivo tranquila, confiando que Dios me lleva en la palma de su mano como dice el profeta Isaías (Is 49:16)?

Preguntas y actividades para realizar en grupo

- ¿Qué hemos aprendido de Rut? ¿De Noemí? ¿De Booz?
- ¿Qué nos enseñan sobre la amistad, la lealtad y la confianza? ¿Cuál de estas virtudes es la más practicada en nuestros días y cuál la menos?
- Hagamos una lista de las diversas maneras cómo se puede mostrar el amor y amabilidad a:
  - ▷ nuestra familia

- ▷ nuestros amigos
- ▷ los compañeros del trabajo
- ▷ los parientes
- ▷ las personas que nos sirven en una tienda, un restaurante, etc.
- ► Los medios de comunicación social, como la televisión o internet, nos pueden llevar a aislarnos de los demás y a vivir encerrados en nuestro pequeño mundo. ¿Es bueno eso? ¿Por qué sí o por qué no? ¿Cuál sería el mejor modo de usar esos medios?
- ► ¿Hemos tenido que dejar nuestra tierra en búsqueda de una vida mejor? Explicar.
- ► ¿Cuál ha sido nuestra experiencia al formar parte de una comunidad? ¿Ha sido buena, regular o mala? ¿Por qué?
- ► ¿Ha habido en nuestras vidas alguna persona que nos haya ayudado en momentos difíciles? ¿Cómo?
- ► ¿Hemos ayudado a alguien durante sus momentos difíciles?
- ► ¿Qué sucede cuando no hay una solución sencilla a lo que se está viviendo?
- ► Describir alguna ocasión en que hayan experimentado la mano amorosa de Dios en sus vidas.
- ► Hagan una lista de las diversas maneras cómo se puede ayudar a los ancianos que nos rodean.

Propósitos prácticos

¿A qué me llama todo lo anterior?

- ► A darle gracias a Dios por los alimentos de cada día, diciendo la oración: "Gracias te doy gran Señor por la vida y el sustento, Tú me lo das por quien eres, no por que yo lo merezca" o alguna otra oración que muestre nuestra gratitud.
- ► A recordar que Dios está presente alrededor y dentro de mí.
- ► A invitar a Dios a mis conversaciones, decisiones y planes.

- ► A tener presente que Dios envió a Jesús para mostrarme su rostro amantísimo y que su amor es tan absoluto, que el Espíritu Santo vive en mi corazón.
- ► A pedir por aquellas personas que hayan tenido que dejar casa, tierra y familia en búsqueda de una vida mejor.
- ► A no enojarme cuando los demás no hacen las cosas como me gustan.
- ► A tratar con paciencia a las personas ancianas y a ayudarlas en sus necesidades.
- ► A buscar a alguna persona de quien esté distanciada y poner todo lo que esté de mí parte para que superar el conflicto.
- ► A participar de forma activa en la vida de mi comunidad, ya sea mi familia, el trabajo, la iglesia, etc.
- ► A darle gracias a Dios por las personas que hayan sido leales a mí y a mi familia, especialmente en tiempos difíciles. Pedir por ellas.
- ► A pedirle a Dios la luz y la fuerza necesarias para detectar a quien o quienes necesitan de mí ayuda.
- ► A esperar contra toda esperanza, confiando en Dios.

Oración

Benedictus

Bendito sea el Señor, Dios de Israel,
porque ha visitado y redimido a su pueblo.
Ahora sale triunfante nuestra salvación
en la casa de David, su siervo,
como lo había dicho desde tiempos antiguos
por boca de sus santos profetas:
que nos salvaría de nuestros enemigos
y de la mano de todos los que nos odian;
que nos mostraría el amor que tiene a nuestros padres
y cómo recuerda su santa alianza.
Pues juró a nuestro padre Abraham
que nos libraría de nuestros enemigos
para que lo sirvamos sin temor, justos y santos,
todos los días de nuestra vida.
Y tú, niño, serás llamado Profeta del Altísimo
porque irás delante del Señor para prepararle sus caminos,
para decir a su pueblo lo que será su salvación.
Pues van a recibir el perdón de sus pecados,
obra de la misericordia de nuestro Dios,
cuando venga de lo alto para visitarnos
cual sol naciente,
iluminando a los que viven en tinieblas,
sentados en la sombra de la muerte,
y guiar nuestros pasos por un sendero de paz.

Lucas 1:68-79

CAPÍTULO 2

▼▼▼▼▼▼▼

SIFRÁ Y PÚA
mujeres que tienen muy claro el valor de la vida humana

"Antes de haberte formado yo en el seno materno, te conocía, y antes que nacieses te tenía consagrado".

Jr 1:5

"Pero, ¿puede una mujer olvidarse del niño que cría, o dejar de querer al hijo de sus entrañas? Pues bien, aunque alguna lo olvidase, yo nunca me olvidaría de ti. Mira cómo te tengo grabado en la palma de mis manos".

Is 49,15-16a

"La vida humana debe ser respetada y protegida de manera absoluta desde el momento de la concepción. Desde el primer momento de su existencia, el ser humano debe ver reconocidos sus derechos de persona, entre los cuales está el derecho inviolable de todo ser inocente a la vida".

Congregación para la Doctrina de la Fe,
instrucción "Donum vitae" 1,1

Objetivo

En una sociedad donde los medios de comunicación y la opinión de los "poderosos" parecen regirlo todo, estas dos mujeres son capaces de desafiar las órdenes del poderoso Faraón egipcio, con tal de defender la vida humana.

Texto bíblico: *Éxodo 1:15-19*

Introducción a los personajes

¿Quiénes son Sifrá y Púa?

Dos mujeres que viven en Egipto, se dedican a atender en el momento del parto a las mujeres hebreas y reciben del Faraón la orden de que a la hora del parto, si el bebe es un varón, lo dejen morir. Pero ellas no le hacen caso por que temían a Dios.

Desarrollo de la historia bíblica

Lo primero que podemos decir sobre estas dos valerosas mujeres, es que en toda la Sagrada Escritura, sólo se habla de ellas y de sus acciones en cinco versículos al inicio del libro del Éxodo. Eso es todo. Ni una sola mención más; pero su bravura, hace que sus nombres y su memoria quede inmortalizada por muchas generaciones.

Para poder apreciar la valentía de estas dos mujeres y la razón por la que reciben tan extraña orden del Faraón de Egipto, es necesario remontarnos a la historia y comprender cómo llegó el pueblo hebreo a este momento.

Para eso tendremos que irnos al libro de Génesis, que nos relata cómo los hijos de Jacob, pertenecientes al pueblo hebreo, venden a su hermano José –porque le tenían envidia– a una caravana de mercaderes. Los mercaderes se lo llevan a Egipto donde lo venden como esclavo.

El libro del Génesis, a partir del capítulo 39, nos narra cómo José se gana el favor del rey de Egipto, llamado "Faraón", interpretando sus sueños sobre una época de abundantes cosechas, seguidas por una época de gran escasez de alimentos. Por haberle interpretado esto, el Faraón dice a José: "Puesto que Dios te ha hecho saber todo esto, no hay hombre más inteligente ni sabio que tú. Tú estarás al frente de toda mi casa, y todo mi pueblo obedecerá tus órdenes. Solamente yo estaré por encima de ti" (Gn 41:39-40).

Con el pasar del tiempo, José sigue sirviendo fielmente al Faraón, construyendo graneros para almacenar las abundantes cosechas y así poder hacer frente a los tiempos de escasez que se avecinaban. Una vez que éstos llegaron, la hambruna se propagó por toda la región, lo que hace que Jacob, el papá de José, envíe a sus hijos a la tierra de Egipto a compara trigo.

Cuando los hermanos de José se encuentran ante él –quien para ese entonces ya era gobernador de Egipto– para comprar los alimentos, éste los reconoce, pero ellos no lo reconocen. Después de muchas peripecias, y una vez que José ve en sus hermanos un sincero arrepentimiento, les dice: "Yo soy José, su hermano, el que ustedes vendieron a los egipcios. Pero no se apenen ni les pese por haberme vendido, porque Dios me ha enviado aquí delante de ustedes para salvarles la vida. Ya van dos años de hambre en la tierra, y aún quedan cinco en que no se podrá arar ni cosechar. Dios, pues, me ha enviado por delante de ustedes, para que nuestra raza sobreviva en este país: ustedes vivirán aquí hasta que suceda una gran liberación. No han sido ustedes, sino Dios quien me envió aquí; El me ha hecho familiar de Faraón, administrador de su palacio, y gobernador de todo el país de Egipto. Vuelvan pronto donde mi padre y díganle: 'Esto te manda a decir tu hijo José: Dios me ha hecho dueño de todo Egipto. Ven a mí sin demora'" (Gn 45:4-10).

José ubicó a su padre y a sus hermanos en Egipto y, siguiendo las órdenes del Faraón, les dio en propiedad una tierra, en la mejor zona de la región de Ramsés, proporcionándoles todo lo necesario para vivir.

La historia del pueblo hebreo, compuesto por José, su padre, sus hermanos y todos sus descendientes continúa en la tierra de Egipto en donde se establecen y se multiplican. Pasan los años y los siglos y, como es lógico, los egipcios olvidan poco a poco quién fue José y lo que había hecho por ellos. Así, José y su gente, el pueblo hebreo, se convierten en un pueblo no grato para los egipcios.

Nos dice la Sagrada Escritura que: "entró a gobernar en Egipto un nuevo rey, que no sabía nada de José, y dijo a su pueblo: 'Miren que los hijos de Israel forman un pueblo más numeroso y fuerte que nosotros. Tomemos precauciones contra él para que no siga multiplicándose, no vaya a suceder, que si estalla una guerra, se una a nuestros enemigos para luchar contra nosotros'" (Ex 1:8-10).

Es bajo estas circunstancias, que el Faraón de Egipto acude a las parteras de las hebreas que se llamaban una Sifrá y la otra Púa y les ordena: "Cuando asistan a las hebreas, y ellas se pongan de cuclillas sobre las dos piedras, fíjense bien: si es niño, háganlo morir; y si es niña, déjenla con vida" (Ex 1:16).

¡Vaya orden proveniente de un rey! "Pero las parteras temían a Dios, y no hicieron lo que les había mandado el rey de Egipto, sino que dejaron con vida a los niños" (Ex 1:17). Y se disculpan diciendo que las mujeres hebreas son más fuertes que las egipcias y dan a luz antes de que ellas lleguen a atenderlas.

¡Vaya mujeres valientes! Temen a Dios y actúan en consecuencia. El señor temporal les pide que quiten la vida, pero ellas no siguen sus órdenes, sabiendo que la vida viene del Señor eterno y creador. Son un verdadero ejemplo de mujeres pro-vida.

¿Qué nos enseñan Sifrá y Púa?

▶ A respetar la vida de los no nacidos.

▶ A defender la vida, cueste lo que cueste.

▶ A no dejarse vencer por las circunstancias, por más malas que se presenten. Dios es más poderoso.

▶ A entender que Dios es…Dios.

▶ A trabajar a favor de la vida, de manera comprometida.

▶ A ayudar a las jovencitas que están embarazadas.

▶ A ayudar a los más desprotegidos de la sociedad.

▶ A acudir a grupos de ayuda que apoyan a mujeres que hayan pasado por un aborto, recordando siempre que Dios es misericordioso.

▶ La importancia de ser fiel a la propia conciencia, aun bajo condiciones difíciles, como fue el caso de Sífrá y Púa, a quienes el Faraón les dio la orden de no dejar nacer a los niños hebreos.

¿Qué nos dice el *Catecismo de la Iglesia Católica*?

§2258: La vida humana es sagrada, porque desde su inicio es fruto de la acción creadora de Dios y permanece siempre en una especial relación con el Creador, su único fin. Sólo Dios es Señor de la vida desde su comienzo hasta su término; nadie, en ninguna circunstancia, puede atribuirse el derecho de matar de modo directo a un ser humano inocente (CDF, instr. "Donum vitae" intr. 5).

§2260: La vida como un don de Dios.

§2270: La vida debe de ser protegida desde el momento de la concepción.

§2273: La sociedad tiene el deber de proteger la vida.

§1778: La conciencia moral es un juicio de la razón por el que la persona humana reconoce la cualidad moral de un acto concreto que piensa hacer, está haciendo o ha hecho. En todo lo que dice y hace, el hombre está obligado a seguir fielmente lo que sabe que es justo y recto. Mediante el dictamen de su conciencia el hombre percibe y reconoce las prescripciones de la ley divina.

§1782: El hombre tiene el derecho de actuar de acuerdo a su conciencia.

§1783-1785: La formación de la conciencia.

§1786-1789: Las decisiones se deben de tomar de acuerdo con la conciencia.

Cuestionario para la reflexión personal

- ► ¿Tengo claro que la vida humana es sagrada desde el momento de su concepción hasta la muerte natural?

- ► ¿Cuál es mi actitud ante la vida humana? ¿Me preocupan todas las campañas y movimientos que hay, a nivel internacional, para menospreciarla?

- ► En contraposición con la pregunta anterior: ¿qué puedo hacer concretamente para colaborar en la lucha que se está llevando a cabo en todo el mundo para defender la vida?

- ► ¿Busco de alguna forma ayudar a los más necesitados? ¿Me esfuerzo por ser una luz en la vida de los demás?

- ► ¿Soy consiente de que diariamente tengo que tomar una gran cantidad de decisiones que van desde si me levanto en cuanto suena el despertador hasta las palabras que digo y la critica que me callo? ¿Y que de estas decisiones dependen muchas cosas: la alegría de los demás y la mía propia, la salud, el bienestar, etc? ¿Tomo esas decisiones de manera consciente o con superficialidad?

- ► ¿He reflexionado en la importancia de tener una conciencia bien informada y que siempre busque el bien?

- ► ¿Qué lugar tiene Dios en mi vida? ¿A la hora de tomar decisiones, lo invito a que me acompañe?

Preguntas y actividades para realizar en grupo

▶ Investigar las actividades a favor de la vida (pro-vida) que se llevan a cabo en mi Diócesis. Analizar en cuáles de esas actividades podríamos participar.

▶ Reunirse a tejer o coser alguna prenda que se donará a algún centro donde ayuden a madres solteras que han optado por tener a su bebé.

▶ Rezar juntos un rosario en favor de la vida.

▶ Reflexionar en grupo en la parábola del Hijo Prodigo, que se encuentra en Lucas 15:11-31. La finalidad de esta actividad es examinar la actitud amorosa del padre para con sus dos hijos. Se debe tener presente que, en esta parábola, el padre es una analogía de Dios el cual es misericordioso y siempre estará esperando a sus hijos con los brazos abiertos.

▶ La parábola dice que el hijo menor había dilapidado su herencia y, al verse en necesidad, decide:

…"volveré donde mi padre y le diré: Padre, he pecado contra Dios y contra ti. Ya no merezco ser llamado hijo tuyo. Trátame como a uno de tus asalariados." Se levantó, pues, y se fue donde su padre. Estaba aún lejos, cuando su padre lo vio y sintió compasión; corrió a echarse a su cuello y lo besó. Entonces el hijo le habló: «Padre, he pecado contra Dios y ante ti. Ya no merezco ser llamado hijo tuyo.» Pero el padre dijo a sus servidores: «¡Rápido! Traigan el mejor vestido y pónganselo. Colóquenle un anillo en el dedo y traigan calzado para sus pies. Traigan el ternero gordo y mátenlo; comamos y hagamos fiesta, porque este hijo mío estaba muerto y ha vuelto a la vida; estaba perdido y lo hemos encontrado.» […] El hijo mayor estaba en el campo. Al volver, cuando se acercaba a la casa, oyó la orquesta y el baile. […] preguntó qué significaba todo aquello. «Tu hermano ha regresado a casa, y tu padre mandó matar el ternero gordo por haberlo recobrado sano y salvo.» El hijo mayor se enojó y no quiso entrar. Su padre salió a suplicarle. […] El «Hijo, tú estás siempre conmigo y todo lo mío es tuyo. Pero había que hacer fiesta y alegrarse, puesto que tu hermano estaba muerto y ha vuelto a la vida, estaba perdido y ha sido encontrado»" (Lc 15:18-20).

► Hacer un análisis profundo de este texto, encontrando las tres ideas que consideren más importantes:

"En lo más profundo de su conciencia descubre el hombre la existencia de una ley que él no se dicta a sí mismo, pero a la cual debe obedecer, y cuya voz resuena, cuando es necesario, en los oídos de su corazón, advirtiéndole que debe amar y practicar el bien y que debe evitar el mal: haz esto, evita aquello" Concilio Vaticano II, Constitución Dogmatica Gaudium et spes (Sobre la Iglesia en el Mundo Actual), 16.

Propósitos prácticos

► Ayudar en alguna clínica donde se atienda a mujeres que quieren abortar para que no lo hagan.

► Rezar enfrente de una clínica donde se realicen abortos.

► Colaborar en proyectos diocesanos a favor de la vida.

► Rezar diariamente por los bebés que serán abortados ese día, por sus padres y por las personas que realizarán el aborto.

► Ayudar a las jovencitas que estén embarazadas. Esta ayuda puede ser de varias maneras: encontrar un lugar donde puedan quedarse, conseguir un doctor que quiera atenderlas, buscar algún programa que les ayude, recolectar ropa para bebé, etc.

- Ayudar a los más desprotegidos de la sociedad, en el caso de Sifrá y Púa, se trataba de las mujeres hebreas a la hora de dar a luz. En nuestro caso habrá otros seres desprotegidos, además de las mujeres embarazadas, a quienes podamos ayudar: personas sin trabajo, inmigrantes, personas sin familia o que pasan por dificultades económicas, etc.
- Crear conciencia de cambiar la palabra que inicia con "a" por la otra palabra que también inicia con "a": aborto por adopción.

Oración

Oración por los niños no nacidos
Padre de bondad,
que en tu infinita misericordia nos has llamado a la vida
y nos has dado la capacidad de colaborar contigo para
traer nuevas vidas a este mundo,
te pedimos por los padres que,
haciendo mal uso de esta capacidad de colaborar contigo
para formar una nueva vida, la destruyen.
También te pedimos por aquellos
que colaboran con esta cobardía.
Jesús Niño,
te pedimos por los bebés
a quienes no se les ha dejado nacer.
Nos queda la seguridad de que ellos gozarán
de tu presencia por toda la eternidad.
Santísima Virgen,
ayúdanos a amar la vida desde sus inicios
hasta la muerte natural.
Cuida y protege a todas las madres
que, como tú, llevan en su seno el don de la vida
Amén.

II.
MUJERES QUE CUIDAN A LA COMUNIDAD

CAPÍTULO 3

▼▼▼▼▼▼▼

MIRIAM

buena hermana
y valiente miembro
de la comunidad

"Entonces dijo Jesús a sus discípulos: «El que quiera seguirme, que renuncie a sí mismo, cargue con su cruz y me siga. Pues el que quiera asegurar su vida la perderá, pero el que sacrifique su vida por causa mía, la hallará. ¿De qué le serviría a uno ganar el mundo entero si se destruye a sí mismo? ¿Qué dará para rescatarse a sí mismo?"

Mт:24-26

Objetivo

Los hombres del siglo XXI vivimos en una sociedad donde la comunicación es instantánea, el tiempo muy valioso y las ocupaciones muchas. Y en esa confusión que nos envuelve, el dedicar tiempo y esfuerzo para ayudar a los demás cada vez se está volviendo más algo del pasado.

Por eso leeremos y profundizaremos en Miriam, la hermana de Moisés, quien gastó su vida por Dios y por el pueblo hebreo

Texto bíblico: *Éxodo 2:4-8; 15:20-21; Números 12:1-15.*

Introducción al personaje

¿Quién es Miriam?

Miriam es la hermana de Moisés, quien desde joven lo acompaña en su labor.

Está pendiente de él cuando su cunita flota en el rio y le dice a la hija del Faraón que ella conoce a una mujer que lo puede amamantar. Más adelante la encontramos encabezando las celebraciones del pueblo hebreo, al haber cruzado, sanos y salvos, el Mar Rojo.

Su vida se desarrolla al lado de Moisés y Arón, sus dos hermanos, guiando al pueblo a través del desierto. Y mientras que de Moisés sabemos mucho de su vida y de su actividad como liberador del pueblo hebreo, de Miriam poco sabemos y menos aún se le reconoce todo lo que hizo por su comunidad, el pueblo hebreo. Su testimonio de mujer que actúa valientemente, alaba al Señor y guía al pueblo, pero que también se enoja y se muestra irritable, hacen de ella una mujer como nosotras. Nos muestra cómo el querer seguir y amar a Dios es un camino que día a día se va recorriendo y que la batalla por ser fiel no se acaba sino hasta el final de la vida.

Desarrollo de la historia bíblica

Comienza la historia de Miriam, como muchas otras historias, con el nacimiento de un bebé, su hermano Moisés, quien nace en la época en que el Faraón de Egipto había dictado un decreto, según el cual, todos los varones hebreos que naciesen en Egipto debían de ser ahogados en el río. La madre de ambos lo esconde, buscando librarlo de la muerte a manos de los egipcios, pero llega un momento en que ya no es posible esconderlo. Nos dice la Escritura que Moisés es colocado por su madre en una cesta, cuidadosamente preparada para que no se le meta el agua, y dejado al las orillas del río. Es ahí que Miriam entra en escena quedándose cerca de la cunita flotante. Cuando ésta llega a manos de la hija del Faraón, quien reconoce que el bebe es un hebreo, Miriam aparece de improviso y le dice que ella conoce a una mujer hebrea que podría criar al bebé:

> "Así que la joven fue y llamó a la madre del niño. La hija de Faraón le dijo: «Toma este niño y críamelo, que yo te pagaré.» \Y la mujer tomó al niñito para criarlo. Habiendo crecido el niño, ella lo llevó a la hija de Faraón, y pasó a ser para ella como su hijo propio. Ella lo llamó Moisés, pues, dijo, «lo he sacado de las aguas»" (Ex 2:9-10).

Así inicia la vida "bicultural" de Moisés. Es criado por su madre natural, con un corazón hebreo y a la vez que vive en el palacio real donde tiene acceso a la corte del Faraón y a la formación egipcia. Así es como Dios va preparando a Moisés para la misión de liberar al pueblo hebreo de la esclavitud en la que vivían en tierra egipcia.

¡Vaya valentía la de Miriam!, vaya capacidad de persuasión. La hija del Faraón no sabe ni cómo, ni por dónde aparece Miriam, la joven hebrea, quien en unos minutos organiza el futuro del bebé, y con éste, el del pueblo hebreo, el pueblo de Dios.

Con el paso del tiempo, Moisés, el que había sido salvado de las aguas por la valentía de su hermana, obtiene el consentimiento del Faraón para que el pueblo hebreo salga de Egipto y así sea liberado de la opresión en que vive.

"De repente, Faraón y su gente cambiaron de parecer respecto al pueblo. Dijeron: « ¿Qué hemos hecho? Dejamos que se fueran los israelitas, y ya no estarán para servirnos.» Faraón hizo preparar su carro y llevó consigo su gente. Tomó seiscientos carros escogidos, ¡todos los carros de Egipto!, cada uno con sus guerreros [ ] Al aproximarse Faraón, los israelitas pudieron ver que los egipcios los estaban persiguiendo. Sintieron mucho miedo y clamaron a Yavé [ ] Yavé dijo a Moisés: « ¿Por qué clamas a mí? Di a los hijos de Israel que se pongan en marcha. Luego levanta tu bastón, extiende tu mano sobre el mar y divídelo, para que los hijos de Israel pasen en seco por medio del mar" (Ex 14:5b-16).

¡Salvados del poder egipcio, salvados de las aguas del mar!, el pueblo no podía más que festejar. Miriam, la hermana de Moisés y de Aarón:

"Tomó su pandereta en la mano, y todas las mujeres la seguían con tímpanos, danzando en coro. Y Miriam les entonaba las palabras: «Canten a Yavé, que se ha cubierto de gloria; carros y caballos ha arrojado en el mar»" (Éxodo 15:20b-21).

En la Sagrada Escritura, la danza esta ligada al júbilo y a la adoración a Dios. Así es como después de cruzar el Mar Rojo, el pueblo hebreo baila. Baila para adorar a Dios, para alabarlo, para agradecerle, y es Miriam quien lo guía en esta celebración. Otra vez Miriam, viendo por los demás, animando al pueblo para que alabe a Dios.

Festejan el poder recuperar lo que desde un inicio les pertenecía: la libertad. La libertad que es un regalo de Dios a los hombres y que, curiosamente, son otros hombres los que nos la arrebatan. En el caso del pueblo hebreo, fueron los egipcios; en nuestro caso son los terroristas, los cárteles de narcotraficantes, las pandillas juveniles, los gobiernos corruptos, los que nos hacen prisioneros del terror, de la inseguridad, de la incertidumbre. Pero, estemos atentos: ¿cuál debe ser nuestra respuesta?, ¿debemos quedarnos sin hacer nada mientras el mal se expande? Por supuesto que no, tenemos la invitación de Cristo a ser luz del mundo y sal de la tierra (Mt 5:13-14), a luchar para cambiar las estructuras, a combatir para que el bien prevalezca.

La siguiente vez que la Escritura nos habla de Miriam es en el libro de Números, en el capítulo 12. Sin embargo, las cosas ahora cambian, ya que nos la encontramos enojada y criticando a su hermano Moisés por casarse con una extranjera y enojada porque Dios solo habla por medio de él:

> "Miriam y Aarón murmuraban contra Moisés porque había tomado como mujer a una cuchita (del territorio de Cuch). «¿Acaso Yavé, decían, sólo hablará por medio de Moisés? ¿No habló también por nuestro intermedio?" (Números 12:1-2).

¿Entonces? ¿Es Miriam una buena o una mala mujer? La respuesta a esta pregunta es lógica: Miriam es un ser humano, quien como muchos otros seres humano, es capaz de la entrega más excelsa y después ser egoísta, ingrata y envidiosa. Así es Miriam y así somos muchos de nosotros. Estamos en la lucha por ser lo mejor que podemos ser. Como nos dice san Pablo en el capítulo

7 de su carta a los Romanos: no hacemos el bien que queremos, sino el mal que no queremos. Aspiramos a ser generosos, actuar bien siempre, ser desprendidos, a hablar bien de los demás y algunas veces actuamos mal, somos egoístas, críticos, chismosos, metiches, mentirosos y más.

Desesperarnos de nosotros mismos y de los demás, no es la respuesta; luchar por ser mejores sí lo es. Ésta es una batalla en la que se lucha a diario, la batalla por ser más amables, comprensibles, generosos, etc., contando siempre con la ayuda de Cristo quien antes de ascender a los cielos nos dijo:

"Yo estoy con ustedes todos los días hasta el fin de la historia" (Mateo 28:20b).

¿Qué nos enseña Miriam?

► A ser valientes, defendiendo la vida de los niños, de los no nacidos y de los que no tienen casa. A estar al pendiente de ellos, cuidarlos, procurar que conozcan a Dios, que se formen en la fe, es decir, como Miriam, ayudar a que se salven.

► A poner al servicio de los demás los dones o talentos que Dios nos dio. Para algunos será la valentía, para otros la inteligencia, la laboriosidad o la capacidad para consolar y aconsejar.

► A alegrarnos con las maravillas del Señor, con su actuar en nuestras vidas. A alegrarnos diariamente, ya que cada día tenemos motivos para regocijarnos. No estemos esperando a que haya un evento espectacular como el cruce del Mar Rojo, pues quizás nunca se presentará algo así en nuestras vidas. Alegrémonos con nuestra vida común.

► A aprovechar la multitud de ocasiones que se nos presentan diariamente para reír, para gozar y para agradecer a Dios.

► A buscar la mano de Dios en nuestras vidas. Ver como nos va guiando, auxiliando, amando.

▶ A alabar a Dios, a reconocer sus acciones, a festejar los acontecimientos divinos.

▶ A no ser curiosos ni entrometidos, sino a respetar las decisiones de los demás mientras no vayan contra la ley, la justicia y la moral.

▶ A entender que en nuestras relaciones con la familia política, estamos llamados a vivir la caridad y ofrecerles nuestra ayuda.

▶ A comprender que el ser humano encierra en sí mismo la posibilidad de actuar con la mayor de las noblezas, pero que algunas veces no lo hace. Pero que estamos llamados por Jesucristo, a ser perfectos como es perfecto nuestro Padre que está en el Cielo (Mt 5:48), para lo cual contamos con su gracia.

▶ A tener paciencia con los demás, ya que a nosotros nos gustaría que actuasen como nosotros queremos. Recordar que lo importante es que actúen conforme a su calidad de hijos de Dios y de seres humanos.

▶ A luchar por cambiar las estructuras en las cuales la libertad del hombre se ve reprimida, estructuras que no le permiten vivir en la libertad y la verdad.

¿Qué nos dice el *Catecismo de la Iglesia Católica*?

§1731: La libertad es el poder, radicado en la razón y en la voluntad, de obrar o de no obrar, de hacer esto o aquello, de ejecutar así por sí mismo acciones deliberadas. Por el libre arbitrio cada uno dispone de sí mismo. La libertad es en el hombre una fuerza de crecimiento y de maduración en la verdad y la bondad. La libertad alcanza su perfección cuando está ordenada a Dios, nuestra bienaventuranza.

§1732: La libertad implica la posibilidad de elegir entre el bien y el mal.

§1822: La caridad es la virtud que nos lleva a amar a Dios.

§1823: Jesús hace de la caridad el mandamiento nuevo.

§1826: La caridad es la virtud reina.

§1829: La vivencia de la caridad produce frutos.

Cuestionario para la reflexión personal

▶ ¿Recuerdo algunas maravillas que Dios haya realizado en mi vida? Hacer una lista para tenerlas siempre presentes, de manera especial cundo este pasando por momentos difíciles.

▶ ¿Por lo general le agradezco a Dios las maravillas que hace en mi vida? ¿Cómo?

▶ ¿Qué dones o regalos me ha dado Dios? ¿Soy trabajador, confiable, alegre, buen hijo, buen hermano, paciente, prudente, honrado, generoso, leal, etc?

▶ ¿Pongo esos dones o talentos de Dios al servicio de los demás? ¿Cómo? ¿Qué puedo hacer para ser más efectivo a la hora de compartir esos dones que me dio Dios con los demás?

▶ En un ambiente de oración, pensaré en los nombres de tres personas con quienes no me llevo bien: la primera, un miembro de la familia; la segunda, un miembro de la comunidad; y la tercera, un compañero o compañera de trabajo. Ahora trataré de contestar a las siguientes preguntas sobre cada uno de ellos:

  ▷ ¿Lo conozco bien?

  ▷ ¿Conozco sus problemas?

  ▷ ¿Conozco sus sentimientos?

  ▷ ¿Qué puedo hacer para llevarme mejor con él o ella?

  ▷ ¿Qué puedo hacer para ayudarle?

Preguntas y actividades para realizar en grupo

▶ Hacer una lista de las diversas formas que el grupo considera que son adecuadas para adorar a Dios.

▶ Suponer que el grupo estuviese cruzando el Mar Rojo junto con el pueblo hebreo, ¿qué sentiría?, ¿qué le preocuparía?, ¿qué haría al llegar a la otra orilla?

▶ Compartir algunas de las maravillas que Dios haya hecho en ustedes.

▶ Dice el dicho popular que el hombre es el peor enemigo del hombre. ¿Qué piensan sobre esta afirmación. ¿Es cierta? Dar algún ejemplo que conozcan con el cual se compruebe la veracidad de esta frase.

▶ ¿Cómo se puede ayudar a una persona que esté pasando por un mal momento?
  ▷ Si tiene un sufrimiento físico.
  ▷ Si tiene un sufrimiento económico
  ▷ Si tiene un sufrimiento laboral
  ▷ Si tiene un sufrimiento legal
  ▷ Si tiene un sufrimiento familiar
  ▷ Otros tipos de sufrimientos

▶ ¿Qué se puede hacer por los niños que no tienen quién les enseñe sobre Dios?

Propósitos prácticos

▶ No criticar a los demás. Ya nos lo dice la carta de Santiago: "Animales salvajes y pájaros, reptiles y animales marinos de toda clase han sido y de hecho son dominados por la raza humana. Pero nadie ha sido capaz de dominar la lengua" (St 3:7-8).

▶ Ayudar a aquellas personas que necesiten de mi ayuda.

▶ Esforzarme por hacer el bien que quiero hacer.

▶ Esforzarme por no hacer el mal que no quiero hacer.

- Escribir una carta, un correo electrónico o llamar por teléfono a un amigo o a un miembro de la familia que vive lejos.
- Poner en práctica las conclusiones a las que llegué, en ambiente de oración, sobre las tres personas con quienes no me llevo bien.
- Recordar que mi rostro pertenece a los demás. Ellos son los que me ven, yo no me veo. Así que poner buena cara.
- Cada noche, antes de acostarme, hacer un examen de conciencia, preguntándome: ¿cómo amé a Dios y a mis hermanos hoy?

Oración

"Aunque hablara todas las lenguas de los hombres y de los ángeles, si me falta el amor sería como bronce que resuena o campana que retiñe. Aunque tuviera el don de profecía y descubriera todos los misterios y la ciencia entera, aunque tuviera tanta fe como para trasladar montes, si me falta el amor nada soy. Aunque repartiera todo lo que poseo e incluso sacrificara mi cuerpo, pero gloriarme, si no tengo amor, de nada me sirve. El amor es paciente y muestra comprensión. El amor no tiene celos, no aparenta ni se infla. No actúa con bajeza ni busca su propio interés, no se deja llevar por la ira y olvida lo malo. No se alegra de lo injusto, sino que se goza en la verdad. Perdura a pesar de todo, lo cree todo, lo espera todo y lo soporta todo. El amor nunca pasará.[...] Ahora, pues, son válidas la fe, la esperanza y el amor; las tres, pero la mayor de estas tres es el amor".

1 Corintios 13:1-8a.13

CAPÍTULO 4

▼▼▼▼▼▼

ABIGAIL
mujer valiente y generosa

Entonces los justos dirán: «Señor, ¿cuándo te vimos hambriento y te dimos de comer, o sediento y te dimos de beber? ¿Cuándo te vimos forastero y te recibimos, o sin ropa y te vestimos? ¿Cuándo te vimos enfermo o en la cárcel y fuimos a verte? El Rey responderá: «En verdad les digo que, cuando lo hicieron con alguno de los más pequeños de estos mis hermanos, me lo hicieron a mí».

MATEO 25:37-40)

Jesús se había sentado frente a las alcancías del Templo, y podía ver cómo la gente echaba dinero para el tesoro; pasaban ricos y daban mucho, pero también se acercó una viuda pobre y echó dos moneditas de muy poco valor. Jesús entonces llamó a sus discípulos y les dijo: «Yo les aseguro que esta viuda pobre ha dado más que todos los otros. Pues todos han echado de lo que les sobraba, mientras ella ha dado desde su pobreza; no tenía más, y dio todos sus recursos».

MARCOS 12:41-44

Objetivo

En nuestros días hay mujeres que, siguiendo las normas socialmente aceptadas, actúan en contra de lo que les dicta su conciencia. Este capítulo presenta a Abigail como ejemplo de mujer que actúa de acuerdo con su conciencia, con generosidad y valentia.

Texto bíblico: *1 Samuel 25:2-42.*

Introducción al personaje

¿Quién es Abigail?

Es una de las esposas del Rey David. Originalmente era esposa de Nabal, hombre rico e irascible. Cuando Nabal se niega a dar comida a David –quien sería el futuro rey– y a sus soldados, quienes con anterioridad habían cuidado de los pastores de Nabal, David decide vengarse y se encamina hacia la finca de Nabal para acabar con él y sus hombres.

Abigail toma cartas en el asunto, en secreto, prepara una gran cantidad de comida y se la lleva a David. Al encontrarse con él le agradece haber cuidado a los pastores y le pide disculpas por la actitud de su esposo

Al poco tiempo Nabal muere y Abigail se casa con David.

Desarrollo de la historia bíblica

La historia de la valentía y generosidad de Abigail la narra el primer libro de Samuel. Nos habla sobre la existencia de un señor llamado Nabal, quien era muy importante y, con seguridad, rico, pues tenía tres mil ovejas y mil cabras. Nabal estaba en su finca de Carmel porque estaban esquilando a sus ovejas.

Nabal tenía a su mujer Abigaíl, quien era inteligente y bella, mientras que de Nabal se nos dice que era duro y malo. ¡Vaya combinación!

Mientras Nabal estaba esquilando a sus ovejas, David se encontraba con sus hombres en el desierto sin mucho con qué sustentarse. David manda a algunos de sus hombres a la finca de Nabal, con la orden de saludarlo y decirle:

"Debes saber que cuando tus pastores estaban con nosotros, no les creamos ningún problema, nada de lo que les pertenecía desapareció […] Pregunta a tus sirvientes y te lo dirán. Ten pues hoy un gesto de amistad con mis muchachos ya que llegamos en un día de fiesta. Por favor, dales a tus servidores y a tu hijo David lo que te dicte tu corazón" (1 Samuel 25:7-8).

La respuesta de Nabal fue un rotundo no. No le voy a dar de mi pan ni de mi vino ni de la carne de los animales que he sacrificado para darle de comer a David y a su gente. Los muchachos de David regresaron y le transmitieron la respuesta de Nabal. David, sin perder un minuto, les dijo: "Tome cada uno su espada" (1 S 25:13).

¡Ahora sí empezó la guerra! David toma a cuatrocientos de sus hombres con sus espadas para que vayan con él a donde estaba Nabal. Y es aquí donde Abigail entra en escena. Uno de sus mozos le informa lo que había pasado y cómo David y los suyos siempre habían sido correctos con los hombres de Nabal, es decir, nunca los trataron mal, ni nada se les perdió mientras estuvieron en medio de ellos.

¡Las injusticias de los hombres malos! ¿Pero qué se puede esperar de Nabal, de quien su propio mozo dice: "es tan malo que no se le puede hablar"? (1 S 25:17).

Continua el texto bíblico narrándonos como Abigail tomó doscientos panes, dos cueros de vino, cinco ovejas ya preparadas, cinco bolsas de trigo tostado, cien racimos de uva seca y dos tortas de higo, y lo puso todo en unos burros. Y sin decirle a su marido, se encaminó en busca de David.

Mientras tanto David y sus hombres se pusieron en camino en busca de Nabal. "David se decía a sí mismo: «Protegí todo lo que ese hombre tenía en el desierto y cuidé de que nada de lo que le pertenecía desapareciera, pero fue por nada, ya que ahora me devuelve mal por bien. Maldiga Dios a David si de aquí a mañana dejo con vida a uno solo de sus hombres»" (1 S 25:21-22).

Abigail encuentra a David y, bajándose del burro, se postra en ante él con el rostro en tierra y le dice:

"Escucha las palabras de tu sierva. No tome en cuenta, señor, a ese bruto de Nabal, pues su nombre quiere decir El Loco, y se ha dejado llevar por su locura. Yavé que te ha impedido de derramar sangre y hacerte justicia por tu propia mano. [...] Que los jóvenes que acompañan a mi señor tomen los regalos que su sierva le trae ahora" (1 Samuel 25:24-27).

Por algo titulamos este capítulo "Abigail: mujer valiente y generosa", ya que ante las necesidades reacciona rápidamente, olvidándose de sí misma. Ante la injusticia cometida por su esposo responde enérgicamente, tendiendo la mano al necesitado.

La respuesta de David a Abigail es magistral:

"¡Bendito sea Yavé, Dios de Israel, que te mandó hoy a encontrarme! Bendita seas por tu prudencia, bendita porque me has impedido hoy que me manche con sangre y que haga justicia por mí mismo. Porque, te lo juro por la vida de Yavé, el Dios de Israel, que me impidió hacer el mal, si tú no hubieras venido tan rápido a verme, aun antes de que se levantara el sol no le habría quedado a Nabal un solo hombre con vida». David recibió en sus manos todo lo que ella le había traído, y luego le dijo: «Vuelve en paz a tu casa, ya te escuché y cuenta conmigo" (1 Samuel 25:32-35).

David la llama prudente, la felicita por su rapidez para actuar, la bendice por su intervención y le asegura que puede contar con él. ¡Vaya cambio de aquel hombre que estaba dispuesto a aniquilar a Nabal! ¡Ahora no deja de bendecir a Yavé y a Abigail! Se cumple así el dicho de san Juan Bosco: "más moscas se cazan con una gota de miel, que con un barril de vinagre".

La historia continúa con el regreso de Abigail a casa, quien se encuentra a Nabal completamente borracho celebrando un banquete. Al día siguiente, cuando se le había pasado la borrachera, su mujer le cuenta lo acontecido. Yavé hiere a Nabal a quien le da un ataque al corazón, quedando paralizado y muriendo unos días después.

Al enterarse David que Nabal había muerto, dijo: "¡Bendito sea Yavé que hizo pagar a Nabal quien me había insultado y me ahorró a mí una mala acción!" (1 S 25:39). Entonces manda a decir a Abigaíl que se case con él. Abigaíl acepta y pasa a ser su mujer. Cabe anotar que es una de las varias –por no decir muchas– mujeres de David. Recordemos que la moral cristiana no llega al pueblo hebreo hasta la venida de Jesús.

¿Qué nos enseña Abigail?

▶ A no desanimarnos si actuamos mal, sino a ser prontos para arrepentirnos, prontos para pedir una disculpa y prontos para seguir adelante.

▶ A que cuando alguien nos ofenda pensemos que es mejor ser el ofendido que el que ofende. De los males, el menor.

▶ A entender que la venganza no es una solución, sino que empeora la ofensa. Qué paradójica es la actitud de David: al ser ofendido decide hacer una ofensa mayor.

▶ A vislumbrar los alcances de la generosidad.

▶ A comprender que la generosidad es una virtud que nos hace mejores seres humanos, mejores imitadores de Cristo, quien estando en la cruz, al ver a su Madre y al discípulo que más quería, dijo a su madre: "Mujer, ahí tienes a tu hijo.» Después dijo al discípulo: «Ahí tienes a tu madre" (Jn 19:25-17).

▶ A buscar el bien de los demás, ya que en cuanto más damos, más nos enriquecemos.

▶ A defender a los más necesitados, a aquellos que no tienen quien los defienda. **Jesús nos dice:** "En verdad les digo que, cuando lo hicieron con alguno de los más pequeños de estos mis hermanos, me lo hicieron a mí" (Mt 25:40).

▶ A combatir la injusticia.

▶ A estar pendientes de las necesidades de los demás y a adelantarnos para satisfacerlas a ejemplo de la Virgen María en las bodas de Canaán, quien dijo a Jesús: *«No tienen vino»* (Jn 2:3).

▶ A entender que para poder trabajar verdaderamente por la justicia, es indispensable hacerlo con caridad.

▶ A nunca negar comida al hambriento.

▶ A reaccionar rápidamente, tal como lo hizo Abigail, cuando alguien tiene una necesidad

¿Qué nos dice el *Catecismo de la Iglesia Católica*?

§1776: En lo más profundo de su conciencia el hombre descubre una ley que él no se da a sí mismo, sino a la que debe obedecer y cuya voz resuena, cuando es necesario, en los oídos de su corazón, llamándole siempre a amar y a hacer el bien y a evitar el mal... El hombre tiene una ley inscrita por Dios en su corazón... La conciencia es el núcleo más secreto y el sagrario del hombre, en el que está solo con Dios, cuya voz resuena en lo más íntimo de ella" (GS 16).

§221: Dios es amor.

§220: El amor de Dios es eterno.

§1832: La generosidad es fruto del Espíritu.

§1760: Acto moralmente bueno.

§1756: No está permitido hacer el mal para obtener un bien.

§1755: Actos moralmente buenos.

§1795: La conciencia es el núcleo más sagrado del hombre.

§1798: La conciencia bien formada es recta y veraz.

Cuestionario para la reflexión personal

▶ ¿Me he topado en mi vida con personas como Nabal? ¿personas que no piensan más que en sí mismas y que no les importan los demás? ¿Personas que hacen lo que sea para quedar bien, para ganar más, para ser más queridos, para tener una fama mayor?¿Me he comportado de esa manera con otros?

▶ Jesús dijo: "El hombre bueno saca cosas buenas del tesoro que tiene en su corazón, mientras que el malo, de su fondo malo saca cosas malas. La boca habla de lo que está lleno el corazón" (Lc 6:45). ¿De qué está lleno mi corazón? ¿De qué hablo? Mis palabras hablan por mí: ¿qué dicen?

▶ Cuando alguien hace o dice cosas que no me parecen, como las que Nabal dijo a David, ¿cómo reacciono?, ¿me irrito a tal grado que, como David, quiero vengarme?, ¿mido las consecuencias y las posibles consecuencias de mis actos?, ¿me doy cuenta que voy a actuar igual de mal que el otro?

▶ Abigail demostró ser una mujer valiente y generosa. ¿Soy valiente o voy dejando que pasen los días y los meses con tal de no enfrentar un problema? ¿Qué puedo hacer para ser valiente cundo el momento lo requiera? ¿Qué puedo hacer para tener sentimientos de generosidad en mi corazón, como los de Abigail?

▶ Cómo trato a aquellos que están en contacto conmigo: familia, amigos, compañeros de trabajo, comunidad, etc., ¿con la bondad de Abigail o con la frialdad y egoísmo de Nabal?, ¿qué puedo hacer para tratarlos mejor?

▶ ¿Por qué David le pidió a Abigail que se casase con ella? ¿Qué vio en ella que llamó tanto su atención?

▶ Es una realidad que no todos somos iguales, ni pensamos igual, ni nos gustan las mismas cosas, ni reaccionamos igual, por lo tanto, es lógico que haya diferencias entre nosotros. ¿Con quien tengo diferencias? ¿Son grandes o pequeñas? ¿Qué puedo hacer para suavizarlas?

Preguntas y actividades para realizar en grupo

▶ Comparar las palabras de David con las palabras de Nabal.

▷ ¿Qué nos dicen del tipo de personas que es cada uno?

▷ ¿A cuál de ellos preferiría como amigo? ¿Por qué?

▷ ¿Conoce a alguna persona que sea como David? ¿Como Nabal?

David

"Le hablarán así: «¡Hermano, que tengas salud y haya paz en tu casa y paz en todo lo que te pertenece! Sé que los esquiladores están ahora en tu casa. Debes saber que cuando tus pastores estaban con nosotros, no les creamos ningún problema, nada de lo que les pertenecía desapareció mientras estuvieron en Carmel. Pregunta a tus sirvientes y te lo dirán. Ten pues hoy un gesto de amistad con mis muchachos ya que llegamos en un día de fiesta. Por favor, dales a tus servidores y a tu hijo David lo que te dicte tu corazón»" (1 Samuel 25:6-8).

Nabal

"Nabal dio esta respuesta a los hombres de David: «¿Quién es ese David? ¿Quién es el hijo de Jesé? ¡Hay ahora muchos esclavos escapados de la casa de su dueño!» ¡¿Y voy a tomar mi pan, mi vino, la carne de los animales que he degollado para los esquiladores y dar todo eso a esa gente que viene de no se sabe dónde!?»" (1 Samuel 25: 10-11).

► En la vida hay momentos difíciles y momentos muy difíciles, para nosotros y para los demás. Durante esos momentos hay una verdad muy consoladora que nos puede ayudar: el que Dios es nuestro Padre, que nos ama y no nos olvida. Las palabras del profeta Isaías nos lo recuerda: "*¿puede una mujer olvidarse del niño que cría, o dejar de querer al hijo de sus entrañas? Pues bien, aunque alguna lo olvidase, yo nunca me olvidaría de ti*" (Is 49:15).

  ▷ ¿Estas palabras tienen resonancia en nosotros?
  ▷ ¿Nos ayudan?
  ▷ Escribir un lema que les ayude a vivir con la tranquilidad de saberse hijos de Dios.

► Abigail sirvió de mediadora entre dos hombres que tenían diferencias entre sí, y pudo, con su gentileza y generosidad lograr la paz.

  ▷ Hacer una entrevista imaginaria a Abigail, analizando qué pensaba en esos momentos, que la motivó a actuar cómo lo hizo, si se asustó, etc.

► Hacer una reflexión del evangelio de Mateo:

"Ustedes han oído que se dijo: «Amarás a tu prójimo y no harás amistad con tu enemigo.» Pero yo les digo: Amen a sus enemigos y recen por sus perseguidores, para que así sean hijos de su Padre que está en los Cielos. Porque él hace brillar su sol sobre malos y buenos, y envía la lluvia sobre justos y pecadores. Si ustedes aman solamente a quienes los aman, ¿qué mérito tiene? También los cobradores de impuestos lo hacen. Y si saludan sólo a sus amigos, ¿qué tiene de especial? También los paganos se comportan así. Por su parte, sean ustedes perfectos como es perfecto el Padre de ustedes que está en el Cielo" (Mateo 5:43-48).

▷ ¿Qué nos dice este pasaje?

Propósitos prácticos

► Ofreceré diariamente a Dios mis penas y alegrías, desánimos e ilusiones, trabajos y cansancios.

► Hay momentos de la vida en que nuestra primera reacción va a ser de enojo, de poca generosidad. Haré de estos momentos, eso, sólo unos momentos y no una manera ordinaria de comportarme.

► Haré un esfuerzo extraordinario cada día por darme a los demás.

► Participaré de manera activa y entusiasta en actividades que busquen acabar con el hambre en mi ciudad.

► Me animaré y animaré a los que me rodean para que vivan la virtud de la generosidad. Buscaré personas, lugares y situaciones donde poner en práctica esta virtud. Seré proactivo.

► Aprenderé a olvidar las pequeñas desavenencias que se producen en la convivencia diaria.

► Tomaré en serio las necesidades de los demás. A ejemplo de Abigail, saldré al encuentro de los más necesitados.

► Ayudaré en la organización y promoción de eventos en mi parroquia. A ejemplo de Abigail, me olvidaré de mí mismo para darme a los demás.

► En momentos de tensión y dificultad, no me daré por vencido.

Oración

Toma Señor y recibe

Toma, Señor, y recibe
toda mi libertad, mi memoria,
mi entendimiento
y toda mi voluntad,
todo mi haber y mi poseer.
Tú me lo diste,
a ti, Señor, lo torno.
Todo es tuyo.
Dispón de todo según tu voluntad.
Dame tu amor y tu gracia,
que ésta me basta.

SAN IGNACIO DE LOYOLA

III.
MUJERES USADAS, ABUSADAS Y ENOJADAS

CAPÍTULO 5

▼▼▼▼▼▼▼

AGAR

mujer que fue usada y expulsada

El cuidado que tiene Dios de todas las personas:

> *Yavé te asegura: En el momento oportuno te atendí, al día de la salvación, te socorrí. […] A lo largo del camino pastarán y no les faltará el pasto ni en los cerros pelados. No padecerán hambre ni sed, y no estarán expuestos al viento quemante ni al sol; pues el que se compadece de ellos los guiará y los llevará hasta donde están las vertientes de agua. Haré caminos a través de las montañas y pavimentaré los senderos.*
>
> ISAÍAS 49:8-11

Objetivo

Vivimos en una sociedad que usa y abusa de algunas mujeres. Este capítulo presentará el cuidado que tuvo Dios de Agar, aun cuando las estructuras sociales la habían desplazado junto con su hijo, a la vez que nos anima a abandonarnos en las manos de Dios.

Texto bíblico: *Génesis 16,1-16 y 21,9-21*

Introducción a lo personajes

¿Quién es Agar?

Una mujer egipcia, que era esclava de Saray la esposa de Abram, quien se ve envuelta en una situación muy difícil ya que Saray, su ama, no había podido tener hijos.

Como solución al problema de infertilidad matrimonial, Saray, le propone a Abram que se acueste con su esclava Agar para que tenga un hijo. Al quedar Agar embarazada, empieza a mirar con depreció a su señora Saray, quien con sus malos tratos provoca que Agar huya al desierto.

Y es en el desierto donde el ángel del Señor la encuentra, la conforta y la anima a regresar al campamento, donde da a luz a Ismael.

Con el paso del tiempo, Saray finalmente tiene un hijo de Abram y le pide a éste que despida a Agar, la esclava. Ella no tiene más remedio que vagar por el desierto con su hijo y una vez más, el ángel de Dios interviene para salvar a los dos.

Agar, una mujer que fue usada y abusada, pero rescatada por Dios.

Desarrollo de la historia bíblica

Desde luego que ésta es una historia con elementos muy, pero muy dramáticos: hay relaciones sexuales, malos tratos y celos, abandono y protección.

Como toda buena historia, comienza con una solemne afirmación: *Saray, esposa de Abram, no le había dado hijos* (Gn 16:1). Y de esta afirmación se desprende el resto de la historia en la que se ven involucrados ella, su esposo Abram, su esclava Agar y el ángel del Señor.

Para poder comprender esta historia va a ser necesario remontarnos a aquella época, entender que la manera de pensar, de actuar y los principios que regían la vida de estas personas eran muy destinos a los que rigen al mundo de hoy. El nuestro es un mundo que ya conoció a Cristo, que se rige por el mandato que nos dejó de amar a Dios y a nuestro prójimo como a nosotros mismos.

En aquella época no era así, por lo cual, primero que nada nos llama la atención el que Saray tuviese a una esclava llamada Agar. Para nosotros la esclavitud es algo injusto y vil, pero en aquella época era una práctica común y lo vemos en varios pasajes bíblicos.

También nos llamará la atención el que Saray le haya dicho a Abram: "Ya que Yavé me ha hecho estéril, toma a mi esclava y únete a ella, a ver si yo tendré algún hijo por medio de ella" (Gn 16:2). ¿Cómo que el hijo que naciese de la unión de Abram con Agar iba a ser hijo de Saray? Para comprender esto es necesario ver cómo se veía en esa época la esclavitud. El esclavo era una posesión total del patrón. Su cuerpo pertenecía al amo, por lo tanto su hijo también era del amo. Esto es algo extraño para nosotros, ciudadanos del siglo XXI.

Abram le hace caso a su esposa, se une a Agar y ésta queda

embarazada. Agar, al darse cuenta que tiene en su seno al hijo de Abram, comienza a despreciar a su señora. Saray, ni tarda ni perezosa, dice a Abram: "Yo te entregué a mi esclava por mujer, y cuando se ve embarazada, me pierde el respeto.» Abram le contestó: «Ahí tienes a tu esclava, haz con ella como mejor te parezca" (Gn 16:5-6). "Es tu esclava, haz con ella lo que quieras". Qué palabras tan duras, ¿cómo que haz con ella lo que quieras? ¡Como si fuera un objeto! ¡Pobre Agar, la usan y abusan de ella!

Y como Saray la maltrata, Agar huye. Nos dice la Escritura que la encuentra el Ángel de Yavé en el desierto junto a una fuente de agua, quien le dice:

Agar, esclava de Saray, ¿de dónde vienes y a dónde vas?» Ella contestó: «Estoy huyendo de Saray, mi señora.» Le replicó el Angel del Señor: «Regresa donde tu señora y ponte a sus órdenes con humildad.» El Angel de Yavé añadió: «Multiplicaré de tal manera tu descendencia, que no se podrá contar». […]« darás a luz a un hijo, al que pondrás por nombre Ismael, porque Yavé ha considerado tu miseria (Génesis 16:8-11).

Agar da a luz a un hijo varón y Abram le pone el nombre de Ismael.

El lector notará cómo de aquí en adelante se cambia el nombre de Saray a Sara y el de Abram a Abraham. Esto se debe a que, en la mentalidad de aquella época, un cambio de nombre significaba también un cambio de destino. Y es el capítulo 17 del libro del Génesis que nos narra cómo Dios cambia de nombre tanto a Saray como a Abram, cuyas vidas tendrán un nuevo destino con el nacimiento de su hijo Isaac.

El tiempo pasa e Isaac crece y llega el día en que se celebra un banquete, pues ya no será amamantado más. Ésta es otra costumbre totalmente ajena a los hombres de nuestro tiempo. Los niños eventualmente dejan de ser amamantados, pero no se celebra con banquetes.

Y es en ese banquete que Sara ve que el hijo de Agar se burlaba de Isaac, y le dice a Abraham: "Despide a esa esclava y a su hijo, pues el hijo de esa esclava no debe compartir la herencia con mi hijo, con Isaac" (Gn 21:10).

Esto no gusta mucho a Abraham, ya que Ismael también es su hijo. Dios lo tranquiliza diciéndole que del hijo de la esclava hará una gran nación, ya que es descendiente suyo. El libro de Génesis nos narra que:

> Abraham se levantó por la mañana muy temprano, tomó pan y un recipiente de cuero lleno de agua y se los dio a Agar. Le puso su hijo sobre el hombro y la despidió. Agar se marchó y anduvo errante por el desierto de Bersebá. Cuando no quedó nada de agua en el recipiente de cuero, abandonó al niño bajo un matorral y fue a sentarse a la distancia de un tiro de arco, pues pensó: «Al menos no veré morir a mi hijo» (Génesis 21:14-16)

Dios escucha los gritos del niño y el Ángel de Dios desde el cielo dice a Agar:

> «¿Qué te pasa, Agar? No temas, porque Dios ha oído la voz del niño […] Anda a buscar al niño, y tómalo de la mano, porque de él haré yo un gran pueblo.» Entonces Dios le abrió los ojos y vio un pozo de agua. Llenó el recipiente de cuero y dio de beber al niño (Génesis 21: 17-20).

Continua el texto bíblico diciéndonos cómo Dios cuidó de Ismael, quien creció y vivió y se casó en el desierto con una mujer egipcia.

¡Vaya historia, Agar es usada y abusada! Su situación de esclava hace de ella un blanco perfecto, ya que la ley no le otorga ningún derecho. Cuando la necesita Saray la usa, cuando le estorba la echa. Pero Dios, que es siempre fiel, invariablemente ve por ella.

¿Qué nos enseña Agar?

► Que Dios siempre está pendiente de sus creaturas, sean quienes sean, sean como sean.

► A no dejarnos llevar por la desesperanza y la tristeza.

► A tranquilizarnos, siendo consientes de que Dios actúa en nuestra vida y en la de todos los seres humanos.

► A confiar en la Divina Providencia, que es el cuidado que tiene Dios de sus creaturas.

► Que Dios prefiere a los humildes, y esto confunde a los poderosos que están acostumbrados a ser el centro de atención. Sobre esto nos habla el evangelio de Mateo: "En aquella ocasión Jesús exclamó: «Yo te alabo, Padre, Señor del Cielo y de la tierra, porque has mantenido ocultas estas cosas a los sabios y entendidos y las has revelado a la gente sencilla. Sí, Padre, pues así fue de tu agrado" (Mt 11:25).

► Que la victoria final no viene del poder del hombre, sino de Dios. Como nos dice el libro del Apocalipsis: "Por fin ha llegado la salvación, el poder y el reinado de nuestro Dios,[…] Ellos lo vencieron con la sangre del Cordero, con su palabra y con su testimonio,[…] Por eso, alégrense, cielos y los que habitan en ellos" (Ap 12-10-12).

► Que Dios es el Señor de la historia.

► Que Dios es siempre fiel.

► Que, cuando las cosas van mal, cuando parece que ya no hay salida, Dios escucha las súplicas de los hombres así como escuchó los gritos del niño. Y nos dice como le dijo a Agar: "¿Qué te pasa…? No temas, porque Dios ha oído la voz … desde el lugar donde él está" (Gn 21:17).

- A estar dispuestos a ayudar y defender a aquellas personas que no tienen voz, los más desamparados de la sociedad: pueden ser las viudas, los huérfanos, los inmigrantes, los adictos, etc.
- Que siempre hay futuro, que no nos quedemos paralizados en al aquí y ahora, sino que miremos con esperanza hacia el futuro. Así como Dios no abandonó a Agar prometiéndole: "Multiplicaré de tal manera tu descendencia, que no se podrá contar" (Gn 16:10).

¿Qué nos dice el *Catecismo de la Iglesia Católica*?

§302: La creación tiene su bondad y su perfección propias, pero no salió plenamente acabada de las manos del Creador. Fue creada "en estado de vía" ("In statu viae") hacia una perfección última todavía por alcanzar, a la que Dios la destinó. Llamamos divina providencia a las disposiciones por las que Dios conduce la obra de su creación hacia esta perfección:Dios guarda y gobierna por su providencia todo lo que creó, "alcanzando con fuerza de un extremo al otro del mundo y disponiéndolo todo con dulzura" (Sb 8:1). Porque "todo está desnudo y patente a sus ojos" (Hb 4:13), incluso lo que la acción libre de las criaturas producirá (Cc. Vaticano I: DS 3003).

§303: La divina providencia es concreta e inminente

§304: La primacía de Dios y su señorío absoluto sobre la historia y el mundo

§305: Abandono filial en la providencia del Padre celestial

§306: Dios se sirve de las criaturas

§307: Dios se sirve también de la cooperación de las creaturas

§322: Cristo nos invita a confiar en la providencia de nuestro padre celestial

§324: Dios y el sufrimiento de los inocentes.

§2091: La desesperación.

§2539: La envidia hace que el hombre se entristezca ante el bien del prójimo

Cuestionario para la reflexión personal

▶ En momentos de prueba, ¿hago algo para acrecentar mi fe?

▶ ¿Cómo reacciono cuando llegan las pruebas y el dolor a mi vida? ¿Me enojo con Dios? ¿Ignoro a Dios? ¿Me acerco más a él? ¿Lo culpo?

▶ ¿Me desaliento fácilmente? ¿Qué hago cuando me pongo triste? ¿Qué dejo de hacer?

▶ ¿Alguna vez he estado en un desierto emocional donde, según yo, nadie me comprendía? ¿Me sentí solo aunque estuviese rodeado de personas? ¿Cómo reaccioné?

▶ ¿He mandado a algún miembro de mi familia o de mi comunidad al desierto? Es decir ¿les he alejado de mi amistad, de mi trato, de mi cariño, de mi comprensión? ¿Por qué? ¿Considero que está bien hacer esto? ¿Qué voy a hacer para remediarlo?

▶ ¿Cómo veo a Dios? ¿Cómo me relaciono con Él? ¿Lo amo?

▶ ¿Estoy convencido de que todos los esfuerzos que hago por serle fiel a Dios tienen un gran valor de eternidad?

▶ Haré una lista de las diversas maneras en que Dios me ha manifestado su ayuda, compañía y cuidado en momentos de mi vida cuando me sentía, triste, solo, agobiado o preocupado.

Preguntas y actividades para realizar en grupo

▶ Reflexionar sobre el siguiente versículo del libro de Judit:

Más bien pidámosle que nos socorra mientras esperamos confiadamente que nos salve, y él escuchará nuestras súplicas, si le agrada hacerlo (Jdt 8:17).

▷ Cada miembro del grupo escribirá una frase que exprese sus sentimientos sobre cómo Dios ha actuado en su vida.

▷ Los miembros compartirán lo que escribieron.

► Hoy en día hay en el mundo mujeres que se encuentran en una situación similar a la de Agar. No son esclavas como tales, pero sí están siendo explotadas, maltratadas, usadas y abusadas, sin que nadie vea por ellas.

▷ Poner ejemplos de mujeres que se encuentren en esta situación.

▷ Reflexionar sobre cómo se les podría ayudar.

▷ Acordarse de que Dios escucha su llanto y actúa para ayudarlas a través de otros seres humanos.

► ¿Por qué cree que una vez que Lía se supo embarazada comenzó a burlarse de Saray?

▷ Poner ejemplos de situaciones donde el que tiene ventaja se burla del desvalido.

▷ ¿Cómo trató Sara a Lía después de que se burló de ella?

▷ ¿Qué aprendemos de esta situación?

► Hacer una lluvia de ideas sobre los sentimientos que despierta el siguiente pasaje:

Dios oyó los gritos del niño, y el Angel de Dios llamó desde el cielo a Agar y le dijo: « ¿Qué te pasa, Agar? No temas, porque Dios ha oído la voz del niño desde el lugar donde él está. Anda a buscar al niño, y tómalo de la mano, porque de él haré yo un gran pueblo.»Entonces Dios le abrió los ojos y vio un pozo de agua. Llenó el recipiente de cuero y dio de beber al niño (Génesis 21:17-19).

► Leer el siguiente Salmo:

Dije al Señor: «Tú eres mi Dios, presta atención, Señor, a la voz de mi súplica».

Señor Dios, poderoso para salvar, tú cubres mi cabeza el día del combate.[…]

Sé que el Señor hará justicia al desvalido y dará a los pobres la razón.

Los justos darán gracias a tu Nombre, los hombres rectos se quedarán en tu presencia.
(Salmo 140:7-8; 13-14).

▷ Cuesta trabajo comprender este Salmo en un mundo en donde, al parecer, sucede todo lo contrario. Según parece: "el que transa avanza", el brabucón se sale con la suya, el desvalido es hecho menos aún.

▷ Profundizar en dos frases que dice este Salmo: "Señor Dios, poderoso para salvar" y "Sé que el Señor hará justicia".

Propósitos prácticos

▶ Pediré a Dios que abra mis ojos como se los abrió a Agar: "Entonces Dios le abrió los ojos y vio un pozo de agua. Llenó el recipiente de cuero y dio de beber al niño" (Gn 21:19). Para que yo pueda acudir a él, que él sea mi "pozo" de donde pueda sacar agua, especialmente en momentos difíciles.

▶ Comprenderé que Dios tiene sus tiempos, que son muy diferentes a los nuestros. Tal como lo dice el profeta Habacuc: "Espera su debido tiempo, pero se cumplirá al fin y no fallará; si se demora en llegar, espérala, pues vendrá ciertamente y sin retraso" (Ha 2:3).

▶ Recordaré en momentos difíciles que Jesús dijo: "Vengan a mí los que van cansados, llevando pesadas cargas, y yo los aliviaré" (Mt 11:28).

▶ Buscaré información sobre el mensaje que recibió Santa Faustina Kowalska de Jesús, quien le pide dar a conocer al mundo la infinita misericordia de Dios.

▶ Daré a conocer a todos mis familiares y amigos lo que he aprendido sobre el mensaje de la Divina Misericordia.

▶ Rezaré diariamente la coronilla de la Divina Misericordia con una confianza infinita en la misericordia de Dios.

Oración

Coronilla de la Divina Misericordia
Para ser rezada diariamente, de preferencia a las 3:00 de la tarde, hora en que Jesús murió por nosotros (se recomienda ayudarse de un rosario).

▶ En el Nombre del Padre y del Hijo y del Espíritu Santo.

▶ Padrenuestro.

▶ Avemaría.

▶ Credo
En la cuenta grande, antes de cada decena decir:

Padre Eterno, te ofrezco
el cuerpo y la sangre, el alma y la divinidad
de tu amadísimo Hijo, nuestro Señor Jesucristo,
para el perdón de nuestros pecados
y los del mundo entero.

▶ En las diez cuentas pequeñas de cada decena:

Por su dolorosa Pasión,
ten misericordia de nosotros
y del mundo entero.

▶ Al final, una vez que se han rezado las cinco decenas decir tres veces:

Santo Dios,
Santo Fuerte,
Santo Inmortal,
ten piedad de nosotros
y del mundo entero.

CAPÍTULO 6

▼▼▼▼▼▼▼

LÍA
mujer desplazada por aquellos que deberían de cuidarla

"Dios ha elegido lo que el mundo considera necio para avergonzar a los sabios, y ha tomado lo que es débil en este mundo para confundir lo que es fuerte. Dios ha elegido lo que es común y despreciado en este mundo, lo que es nada, para reducir a la nada lo que es. Y así ningún mortal podrá alabarse a sí mismo ante Dios. Así está escrito: «El que se gloríe, que se gloríe en el Señor»".

1 Corintios 1:27-29.31

"No hay creatura tan baja ni pequeña que no represente la bondad de Dios".

Imitación de Cristo, II, 4,2

Objetivo

Vivimos en una sociedad donde la toma de decisiones muchas veces se hace de manera utilitarista: me sirve, adelante; no me sirve, no procede. Me gusta, adelante; no me gusta, adiós. Me parece, de acuerdo; no me parece, olvídate de mi.

Lía es esa mujer que, aun habiendo sido desplazada por su padre, su marido y su hermana, juega un papel muy importante en la Historia de la Salvación y nos enseña a confiar en que Dios saca cosas buenas de aquello que, a los ojos de los hombres, no es más que una desgracia.

Texto bíblico: *Génesis 29:1-30*
Génesis 35:23-26
Génesis 49:8-12
Génesis 49:29-31

Introducción al personaje

¿Quién es Lía?

Es la primera esposa de Jacob y madre de seis de sus hijos: Rubén Simeón, Leví, Judá, Zebulón e Isacar y de una hija: Dina.

La suya es una historia inaudita. Su hermana Raquel estaba dada en matrimonio a Jacob. Sin embargo, a la hora de celebrarse la boda, su padre Labán, la toma con vestimenta de novia, que en aquella época incluía el rostro cubierto con un velo, y la lleva a Jacob, quien se acuesta con ella.

Al día siguiente, cuando Jacob se da cuenta de que le dieron "gato por liebre", confronta airadamente a Labán y le exige que le dé a Raquel, a quien él ama y no a Lía quien "no tenía brillo en sus ojos".

Así es como continua en el libro del Génesis la historia de estas dos hermanas, ambas esposas de Jacob, quien visiblemente, amaba a Raquel. De ahí el subtitulo de este capítulo: "mujer des-plazada" por aquellos que deberían de amarla y protegerla: su padre y su marido.

Lo extraordinario de esta historia es que es de Lía de quien surge la línea de descendencia de donde después nacerá Jesús, y no de Raquel. ¡A través de Lía, la considerada como perdedora de acuerdo con los criterios humanos, llega la salvación!

Desarrollo de la historia bíblica

Esta narración bíblica empieza con Isaac, el hijo de Abraham y Sara, quien llama a Jacob su hijo, para bendecirlo y decirle:

"No te cases con ninguna mujer cananea. Ponte en cami-no y vete a Padán-Aram, a la casa de Batuel, el padre de tu madre, y elige allí una mujer para ti de entre las hijas de Labán, hermano de tu madre. Que el Dios de las Alturas te bendiga, te multiplique y de ti salgan muchas naciones. Que Dios te conceda la bendición de Abraham, a ti y a tu descendencia, para que te hagas dueño de la tierra en que ahora vives, y que Dios dio a Abraham" (Génesis 28:1-4).

Jacob, obedeciendo a su padre, se pone en camino, dejando Bersebá y dirigiéndose hacia Jarán.

"En el camino vio un pozo, y cerca de él descansaban tres rebaños de ovejas, pues era en este pozo donde tomaban agua los rebaños. [...]. Jacob dijo a los pastores: «Herma-nos, ¿de dónde son ustedes?» Contestaron: «Somos de Ja-rán.» Les preguntó Jacob: «¿Conocen a Labán, el hijo de Najor.» Contestaron: «Sí, lo conocemos.» «¿Está bien?», preguntó aún. Contestaron: «Sí, muy bien. Mira, justa-mente allí viene su hija Raquel con las ovejas»" (Génesis 29:2. 4-6).

Jacob se presenta a Raquel como el hijo de Rebeca, la hermana de su padre. Ella emocionada corre a contarle a su padre que el hijo de su hermana había llegado. Labán, feliz ante la llegada de su sobrino, corre a su encuentro, lo abraza, besa y lleva a su casa donde se queda un mes.

Continúa la narración bíblica contándonos que Labán tenía dos hijas: la mayor se llamaba Lía y la menor Raquel. "Lía no tenía brillo en sus ojos, mientras Raquel tenía buena presencia y era linda" (Gn 29:16). La historia de estas dos hermanas se ha venido repitiendo en muchísimas familias a través de la historia de la humanidad: una hija es hermosa y la otra no lo es, un hijo es excelente futbolista mientras que el otro es descoordinado. ¡Así es la vida!

Ahora es válida una pregunta: ¿qué es lo que realmente significa el que Lía "no tenía brillo en los ojos"?, ya que para nosotros lectores modernos, el que se nos diga que alguien no tenía brillo en los ojos, no nos dice mucho. Quizás hubiésemos dicho: "pues que se ponga gotas para que se le humedezcan los ojos". Por tanto, para comprender mejor lo que esto significa, es necesario irnos a la lengua original en que fue escrito el libro del Génesis, es decir al hebreo.

Es difícil saber con exactitud qué quería decir en la época de Lía la frase que en español del siglo XXI se traduce como: "no tenía brillo en los ojos". Hay diferentes acepciones en las diversas traducciones bíblicas al español. Una dice que "Lía no tenía brillo en sus ojos", otra que tenía ojos "débiles" y una más que "la mirada es tierna". Aunque no podamos saber a ciencia cierta qué le pasa a Lía, lo que nos queda claro es que tenía algún problema en los ojos y que, comparada con su hermana Raquel, de quien nos dice el texto que era linda y tenía buena presencia, Lía sale perdiendo en cuanto a belleza física se trata.

La parte romántica de la historia comienza con la frase magistral: "Jacob se había enamorado de Raquel" (Gn 29:18), quien acude a su tío Labán y le dice: "Te serviré siete años por Raquel, tu hija menor." (Gn 29:18). Labán acepta la propuesta prefiriendo darle a su hija a su sobrino en vez de a otro hombre. Cabe aclarar que en la antigüedad no se tenía conciencia de los problemas genéticos que se podían derivar de un matrimonio entre parientes tan cercanos. En aquel entonces, casarse entre primos era algo común e incluso se veía como una forma lógica de preservar la propia raza.

Jacob trabajó los siete años que había acordado con Labán para obtener a Raquel en matrimonio. Otra costumbre en desuso en el mundo actual. El texto bíblico nos dice que Jacob "la amaba tanto, que los años le parecieron días" (Gn 29:20). ¡Esto sí que es romántico!

Una vez cumplido el tiempo acordado, Jacob le dice a Labán que ya había cumplido su parte del trato y que, por tanto, le diera a su esposa para vivir con ella. Y aquí empiezan los problemas. Se nos dice que:

> "Labán invitó a todos los del lugar y dio un banquete, y por la tarde, tomó a su hija Lía y se la llevó a Jacob, que se acostó con ella.[…]Al amanecer, ¿Cómo? ¡Lía! Jacob dijo a Labán: «¿Qué me has hecho? ¿No te he servido por Raquel? ¿Por qué me has engañado?» Labán le respondió: «No se acostumbra por aquí dar la menor antes que la mayor. Deja que se termine la semana de bodas, y te daré también a mi hija menor, pero tendrás que prestarme servicios por otros siete años más»" (Génesis 29:22-27).

Ahora si que Labán se la hizo a Jacob: le dio una hija por otra. La de los "ojos tiernos" en lugar de la que poseía una belleza despampanante. Con toda razón dirán ustedes: ¿Pues que no se fijó Jacob? Los expertos en las costumbres de la época dicen que los trajes de novia estaban confeccionados con mucha tela y que era común llevar la cara cubierta con un velo.

Jacob acepta el arreglo. Al terminar la semana de bodas con Lía –eso duraban los festejos nupciales– Labán le entrega a su hija Raquel. ¡Todo nos hace suponer que Jacob ahora si se fijó con quien se casaba! Nos dice la Biblia: "Jacob se unió también a Raquel, y amó a Raquel más que a Lía. Y se quedó con Labán al que prestó servicios siete años más" (Gn 29:30).

Pobre Lía, le llueve sobre mojado. Primero su papá engaña a un hombre con tal de casarla. Qué dolor más grande saber que es a base de engaños que Jacob se casa con ella. Y ahora resulta que Jacob está perdidamente enamorado de su hermana Raquel, a quien ama más que a ella. La eterna confrontación entre la fea y la bonita por el amor de un hombre, y la eterna predilección del hombre por la bonita. ¡Hasta parece una telenovela!

La vida en la casa de Jacob continúa. Sabemos por el texto bíblico que él tuvo relaciones con Lía y con Raquel y con las esclavas de cada una de ellas, y que de esas relaciones sexuales nacieron doce hijos, de quienes surgirán las doce tribus de Israel.

Lo que son las cosas, Lía quien es digamos la "feíta", la de los ojos diferentes, la que no es el gran amor de Jacob, la que ocupa el segundo lugar en la tabla de popularidad de Jacob su esposo, siendo la ganadora s su hermana Raquel. Si, de esa Lía, quien de acuerdo con los parámetros humanos es una perdedora, es de quien nace Judá, de cuya descendencia un día nacerá Jesús, el Salvador. Así nos se hace saber al inicio del evangelio de Mateo:

"Abraham fue padre de Isaac, y éste de Jacob. Jacob fue padre de Judá y de sus hermanos. De la unión de Judá y de Tamar nacieron Farés y Zera.[…] Salmón fue padre de Booz y Rahab su madre. Booz fue padre de Obed y Rut su madre. Obed fue padre de Jesé. Jesé fue padre del rey David. David fue padre de Salomón [...] Eliud fue padre de Eleazar, Eleazar de Matán y éste de Jacob. Jacob fue padre de José, esposo de María, de la que nació Jesús, llamado Cristo" (Mateo 1:2-3. 5-6. 15-16).

¡Vaya honor, ser la tátara, tátara, tátara, tátara abuela de Jesús!

La historia de la vida de Lía termina cuando es enterrada en la cueva de Macpelá, en el país de Canaán, el campo que Abraham había comprado para sepultar a su esposa Sara y donde también él se encuentra sepultado, así como su hijo Isaac y su esposa Rebeca, y Jacob y nuestra querida Lía. (Gn 49, 29-32) Mientras que Raquel fue sepultada a las afueras de Belén.

¡Otro honor que es conferido a Lía, el de ser sepultada donde son sepultadlos los patriarcas del pueblo hebreo!

Nótese, Lía la perdedora, resulta Lía la ganadora. Esto nos enseña que los valores de los hombres son diferentes de los valores de Dios. Aquello que a los ojos de los hombres es oro, a los ojos de Dios no lo es, es decir, aquello que los hombres consideran como valioso: la belleza, la fama, el dinero, el poder, la raza, etc., para Dios no es importante. Para Dios lo que importa es el corazón.

"Crea en mí, oh Dios, un corazón puro" (Salmo 51:12).

¿Qué nos enseña Lía?

- ► A no fijarnos tanto en lo que piensan los demás. A no dejarnos llevar por sus escalas de valores.
- ► A preguntarnos, ¿qué quiere Dios de mí? Y darle importancia a eso.
- ► A no desanimarnos por que no llenamos las expectativas que los demás tienen sobre nosotros.
- ► A comprender que la belleza física no lo es todo.
- ► A ver a los demás como los ve Dios.
- ► A no envidiar a aquellos que tienen más que yo. No sólo

dinero, sino también belleza, poder, familia, conocimientos, contactos, cariño, sabiduría, simpatía, etc.

► Recordar lo que nos pide el décimo mandamiento de la Ley de Dios: "No codiciarás los bienes ajenos".

► A aspirar a ser la persona que Dios quiere que sea, independientemente de si tengo mucho o poco. Soy un hijo de Dios y estoy llamado a dar lo mejor de mí mismo.

► A tener siempre presente el mandato de Jesús en el evangelio de Mateo: "Por su parte, sean ustedes perfectos como es perfecto el Padre de ustedes que está en el Cielo"(Mt 5:48). Notar que el Evangelio habla de la perfección de Dios, no de la perfección de los hombres.

► A recordar que Dios creó al ser humano, y Dios no se equivoca en lo que hace. Nos lo dice el libro del Génesis: "Dijo Dios: «Hagamos al hombre a nuestra imagen y semejanza" (Gn 1:26).

► A recordar que Dios nos hizo a todos a su imagen y semejanza, por lo que ningún ser humano es menos que otro.

► A tratar a los demás con caridad, independientemente de su raza, color, estado civil, cultura, etc.

► A ver el rostro de Dios en los demás.

► A recordar que cada uno vamos a entregar cuentas a Dios de nuestras acciones, así que debo preocuparme por lo que yo entregaré a Dios, sin entrometerme en la vida de los demás.

► A tener presente que, si voy a intervenir en la vida de los demás, es para ayudar, no para criticar.

¿Qué nos dice el *Catecismo de la Iglesia Católica*?

§1935: "La igualdad entre los hombres se deriva esencialmente de su dignidad personal y de los derechos que dimanan de ella: Hay que superar y eliminar, como contraria al plan de Dios, toda forma de discriminación en los derechos fundamentales de la persona, ya sea social o cultural, por motivos de sexo, raza, color, condición social, lengua o religión" (GS 29,2).

§27: Dignidad de la persona humana.

§364: El cuerpo humano participa de la dignidad de la imagen de Dios.

§365: Unidad del cuerpo y alma.

§374: El hombre creado bueno y en amistad con Dios

§396: El hombre depende del Creador y esta sometido a las leyes de la Creación y a las normas morales.

§1936: El hombre necesita de otros ya que los "talentos" no están distribuidos por igual.

§1711: La persona humana está dotada de alma, entendimiento y voluntad y está ordenada a Dios.

Cuestionario para la reflexión personal

► ¿He engañado a alguien al estilo Labán? No casando a una hija por otra, pero sí diciendo o haciendo algo diferente a lo que originalmente había acordado con alguien?

► ¿Puedo de alguna manera resarcir el mal hecho?

► ¿Cómo juzgo a las personas? ¿Por su apariencia física, por sus posesiones materiales, por su simpatía?

► ¿Tengo la tendencia de despreciar a aquellos que considero "menos o "diferentes"?

► ¿Tengo la tendencia a ayudar, ser mas solícito y más cortés con aquellas personas a las que considero "menos" o "diferentes"?

- ¿He sentido que no soy amada por aquellos que me deberían amar (esposa, padres, hijos, hermanos, etc.? ¿Qué siento? ¿Qué hago al respecto?
- A Lía se le recuerda más por que no tuvo el amor de su marido que por ser la madre de Judá. ¿Cómo recuerdo a los demás? ¿Por lo que tienen de bueno o por lo que tienen de malo?
- Al creer en Dios, amarlo y esperar en Él, ¿considero que mi vida es diferente? ¿Mejor? ¿Me llena de felicidad y paz el tener a Dios?

Preguntas y actividades para realizar en grupo

- El *Catecismo de la Iglesia Católica* en el número 1936 nos dice que el hombre, al venir al mundo, no tiene todo lo necesario para desarrollar su vida por sí sólo, tanto desde el punto de vista corporal como espiritual. Por tanto, necesita a los demás. Nos dice el *Catecismo*:

"Ciertamente hay diferencias entre los hombres por lo que se refiere a la edad, a las capacidades físicas, a las aptitudes intelectuales o morales, a las circunstancias de que cada uno se pudo beneficiar, a la distribución de las riquezas" (GS 29, 2). Los 'talentos' no están distribuidos por igual (cf Mt 25:14-30, Lc 19:11-27).

Reflexionar en grupo sobre esta afirmación y contestar a las siguientes preguntas:
- ¿A qué se refiere el *Catecismo* con "capacidades físicas"? Poner ejemplos.
- ¿A qué se refiere el *Catecismo* con "aptitudes intelectuales"? Poner ejemplos.
- ¿A qué se refiere el *Catecismo* con "aptitudes morales"? Poner ejemplos.

- ¿A qué se refiere el *Catecismo* con "las circunstancias de cada uno? Poner ejemplos.

- El *Catecismo de la Iglesia Católica*, en el número 1936, nos dice que estas diferencias –capacidades físicas, intelectuales, morales, etc.– pertenecen al plan de Dios, que quiere que cada uno reciba de otro aquello que necesita. Pero a continuación dice algo muy, muy importante: que aquellos que posean algunas capacidades particulares las compartan con los demás, de modo que nos enriquezcamos unos a otros.

Reflexionar en grupo sobre esta afirmación.

- ¿Qué significa el que cada uno reciba del otro aquello que necesita?

- ¿Qué significa que aquellos que tienen algunas capacidades particulares las comuniquen a los demás, para así enriquecernos unos a otros?

- El Libro del Génesis nos dice:

"Dijo Dios: «Hagamos al hombre a nuestra imagen y semejanza. […]Y creó Dios al hombre a su imagen. A imagen de Dios lo creó. Varón y mujer los creó. Dios los bendijo, diciéndoles: «Sean fecundos y multiplíquense. Llenen la tierra y sométanla.» Y así fue. Dios vio que todo cuanto había hecho era muy bueno" (Génesis 1:26-27.30-31).

Reflexionar en grupo sobre esta afirmación.

- ¿Qué significa que los hombres seamos hechos a imagen y semejanza de Dios?

- ¿Qué significa el que Dios haya visto que todo cuanto había hecho (incluyendo a los seres humanos) era bueno?

- Leer la Parábola de los talentos en el evangelio de Mateo 25:14-30. Reflexionar en grupo sobre esta parábola.

Volver a la primera pregunta de este ejercicio y relacionarlas.

▶ ¿Qué significa que el Señor pida cuenta de los talentos dados?

▶ ¿Por qué se molesta o se alegra el Señor?

Propósitos prácticos

▶ No juzgar a una persona por lo que veo. Dice el refrán: "las apariencias engañan".

▶ Valorar a las personas simplemente por que son creaturas de Dios, independientemente del lugar que ocupen en la Tierra, de sus cualidades o de sus defectos.

▶ Alegrarme con las alegrías de los demás, entristecerme con sus penas. Acompañarlos en el camino de la vida.

▶ En nuestros días, hay hombres o mujeres que aman a otros en lugar de a su esposo o esposa y con "otro" me refiero no solamente a otra persona, sino también al futbol, los amigos o amigas, las telenovelas, el trabajo, etc. Si conozco a alguien que se encuentre en esta situación, pediré por ellos y no juzgaré.

▶ Hacer un esfuerzo por ver el lado positivo de las personas.

▶ Ayudar a quien necesite mi ayuda. No poner pretextos como "me cae mal", "me vio feo", "me habló bruscamente hace diez años", etc. Si necesita mi ayuda, se la doy y punto.

Oración

Creo en Ti, Señor..., pero ayúdame a creer con firmeza.

Espero en ti..., pero ayúdame a esperar sin desconfianza.

Te amo Señor..., pero ayúdame a no volver a ofenderte.

Te adoro Señor, porque eres mi Creador y te anhelo porque eres mi fin.

Te alabo por que no te cansas de hacerme el bien, y me refugio en Ti porque eres mi protector.

Que tu sabiduría Señor, me dirija, y tu justicia me reprima.

Que tu misericordia me consuele y tu poder me defienda.

Te ofrezco, Señor, mis pensamientos, te ofrezco mis palabras, ayúdame a hablar de Ti.

Te ofrezco mis obras, ayúdame a cumplir tu voluntad.

Te ofrezco mis penas, ayúdame a sufrir por Ti.

Todo aquello que quieras Tú, Señor, yo lo que quiero, precisamente porquelo quieres Tú, como Tú lo quieras y durante todo el tiempo que Tú lo quieras.

Te pido Señor que ilumines mi entendimiento, que fortalezcas mi voluntad, que purifiques mi corazón y santifiques mi espíritu.

Señor, hazme llorar mis pecados, rechazar las tentaciones, vencer mis inclinaciones al mal y cultivar las virtudes.

Dame tu gracia, Señor, para amarte y olvidarme de mí, para buscar el bien de mi prójimo sin tenerle miedo al mundo.

Dame la gracia para ser obediente con mis superiores, comprensivo con mis inferiores, solícito con mis amigos y generoso con mi enemigo.

Ayúdame, Señor, a superar con austeridad el placer, con generosidad la avaricia, con amabilidad la ira y con fervor la tibieza.

Que sepa yo tener prudencia, Señor, al aconsejar; valor en los peligros, paciencia en las dificultades, sencillez en los éxitos.

Concédeme, Señor, atención al orar, sobriedad al comer, responsabilidad enmi trabajo y firmeza en mis propósitos.

Ayúdame a conservar la pureza del alma, a ser modesto en mis actitudes,ejemplar en mi trato con el prójimo y verdaderamente cristiano en mi conducta.

Concédeme tu ayuda para dominar mis instintos, para fomentar en mí tu gracia, para cumplir tus mandamientos y obtener mi salvación.

Enséñame, Señor, a comprender la pequeñez de lo terreno, la grandeza de lo divino, la brevedad de esta vida y la eternidad de la futura.

Concédeme, Señor, una buena preparación para la muerte y un santo temor al juicio, para librarme del infierno y obtener tu gloria.

Por Cristo nuestro Señor,
Amen.

PAPA CLEMENTE XI

CAPÍTULO 7

▼▼▼▼▼▼▼

MICAL
una mujer más preocupada por el "qué dirán" que por dar a Dios el lugar que le corresponde

"Jesús le replicó: «La Escritura dice: Adorarás al Señor tu Dios y a él sólo servirás»".

LUCAS 4:8

"¿Y por qué te fijas en la pelusa que tiene tu hermano en un ojo, si no eres consciente de la viga que tienes en el tuyo?".

LUCAS 6:41

"La boca habla de lo que está lleno el corazón".

LUCAS 6:45

Objetivo

La preocupación por el "qué dirán los demás" esta siempre presente en la vida de algunas personas, por no decir de muchas. Esta inquietud, rige sus vidas, sus decisiones y compromete sus conciencias. En este capítulo examinaremos el comportamiento de Mical, quien se preocupa más por lo que puedan decir los hombres, que por darle a Dios su lugar.

Texto bíblico: *2 Samuel 6:12-23*
1 Samuel 18:20-29
1 Samuel 19:11-17
1 Samuel 25:44
2 Samuel 3:13-16
1 Crónicas 15:29

Introducción al personaje

¿Quién es Mical?

Mical es hija de Saúl, el primer rey de Israel, y esposa de David, el segundo rey de Israel. ¡Vaya lugar privilegiado que ocupa dentro de la historia del pueblo hebreo!

Pero su actuar dejó mucho que desear. Las Sagradas Escrituras nos cuentan, en el primer libro de Samuel, como conoció a David y se caso con él y, en el segundo libro de Samuel, se nos narran el incidente sobre el cual vamos a hablar en este capítulo: su enojo porque David, queriendo alabar a Dios, danza ante el Arca.

Cabe hacer la aclaración que en algunas traducciones de la Biblia se le conoce con el nombre de Micol.

Desarrollo de la historia bíblica

Esta historia empieza como muchas historias de amor: "Mical, la segunda hija de Saúl, amaba a David" (1 S 18:20). Vaya comienzo, la hija del rey amaba al joven y apuesto guerrero, a quien su padre despreciaba por haber sido ungido para sucederle como rey del pueblo hebreo. Sin embargo, Saúl se dijo a si mismo: "Se la daré, pero será para él una trampa. Así conseguiré que caiga en manos de los filisteos" (1 S 18:21), los enemigos acérrimos de los hebreos.

¡Vaya, ahora resulta que el suegro le dará a la hija pero para tenderle una trampa! La Sagrada Escritura nos dice: "Saúl temía a David cada vez más, su odio a David se había vuelto habitual. Cada vez que los jefes de los filisteos salían de campaña, David tenía más éxito que los demás servidores de Saúl, y llegó a ser célebre" (1 S 18:29-30). Éste no es un muy buen comienzo, teniendo al padre de la novia aborreciendo al apuesto guerrero.

La historia continua diciéndonos que Saúl mandó a unos hombres a casa de David para vigilarlo y poder matarlo en la mañana. Es entonces que Mical, su mujer, le da la voz de alerta: "«Si no escapas esta misma noche, serás asesinado mañana». Mical ayudó a David a bajar por la ventana; se alejó, salió huyendo y se puso a resguardo" (1 S 9:11-12). Entonces Mical acuesta en la cama a uno de los ídolos que tenía en casa, poniéndole una peluca y tapándolo con una manta. Cuando llegaron los hombres de Saúl a buscar a David, les dijo que estaba enfermo y así consiguió salvar la vida de su marido de las manos de su padre.

¡Esta historia está peor que un programa de televisión!

Las diferencias siguen. David es constantemente perseguido por su suegro Saúl para darle muerte. Sucede por entonces que David, teniendo oportunidad de matar a Saúl, no lo hace. Más adelante nos enteramos que David se casa con otras mujeres, a la vez que Mical, es dada por su padre a un hombre llamado Paltiel.

Ya se, se están escandalizando de tanto matrimonio y preguntándose como es posible que David tenga varias esposas y Mical otro señor. Ustedes me dirán: "pero si Jesús dijo que el hombre dejará a su padre y a su madre y se unirá con su mujer, y serán los dos una sola carne y que ya no van a ser dos, sino una sola carne."(Mc 10,7-8). Recordemos que estamos en una época anterior a Jesús y la moral matrimonial era muy diferente, necesitaba aún la luz de la Revelación que Dios nos dio en Cristo.

Continuemos con nuestra historia. Ahora pasamos ya al segundo libro de Samuel en el que se nos narra, en el capítulo 3, cómo David pide al hijo de Saúl, Isbaal, que le devuelva a su mujer Mical. Isbaal, "mandó entonces que la fueran a sacar de la casa de su último marido Paltiel" (2 S 3:15).

Finalmente llegamos a la parte en la que nos vamos a enfocar, cuando David va a buscar el Arca de Dios para, con gran alegría, llevarla a Jerusalén, ya que para el pueblo hebreo ésta representaba la presencia de Dios.

"Cuando los hombres que llevaban el Arca de Yavé dieron los seis primeros pasos, se ofreció como sacrificio un buey y un ternero gordo. David bailaba y hacía piruetas con todas sus fuerzas delante de Yavé, vestido sólo con un efod de lino. David y todos los israelitas fueron llevando el Arca de Yavé al son de la fanfarria y del cuerno" (2 Samuel 6:13-15).

¡Gran alegría para el pueblo y para David, el Arca de Dios llegaba a su ciudad!

"Cuando el Arca entró en la ciudad de David, Mical, hija de Saúl, estaba mirando desde su ventana. Vio al rey que saltaba y se contorneaba delante de Yavé, y lo despreció en su corazón" (2 S 6:16). David responde exultando felicidad, se regocija con la llegada del Arca y lo demuestra bailando, saltando y contorneándose. Unas traducciones bíblicas nos hablan de que estaba vestido solamente con un elfod de lino, mientras que otras traducciones nos dicen que bailaba desnudo. Por esa expresión de alegría de David, que Mical considera exagerada, ésta lo desprecia en su corazón.

La fiesta continúa. El Arca es llevada a la tienda que David había levantado para ella. Y es el mismo David quien le ofrece sacrificios y holocaustos y distribuye entre el pueblo un pedazo de pan, de carne y dulce de pasas antes de que regresaran a su casa. ¡Vaya fiesta!

Llega lo hora de que David regrese a su casa. Mical está enojada y lo recibe diciéndole: "¡Realmente el rey de Israel se ha cubierto de gloria hoy día! Te has quitado la ropa ante los ojos de las mujeres de tus servidores como lo haría un hombre cualquiera». Pero David respondió a Mical: «Bailaba en presencia de Yavé. Por Yavé que vive, por él que me eligió prefiriéndome a tu padre y a toda tu familia para hacerme el jefe de su pueblo Israel, yo seguiré bailando en presencia de Yavé" (2 S 6:20-21).

Ahora si que David está en problemas. La señora está enojada porque considera que se ha puesto en ridículo ante el pueblo, bailando, danzando y haciendo piruetas frente al Arca. Pero David no lo ve así. David considera que ha hecho lo correcto, se ha alegrado con la presencia del Señor y ha manifestado de manera patente y visible esa alegría. ¡Lo ha alabado!

Dos personas, dos maneras de ver las cosas, una, David, las ve desde el punto de vista del creyente, mientras que Mical las ve desde el punto de vista humano. Se preocupa más por el qué dirán, que por alabar a Dios.

Para terminar, la Escritura nos dice: "Y Mical, hija de Saúl, no tuvo hijos" (2 S 6:23).

¿Qué nos enseña Mical?

- ► Nos enseña a qué extremos puede llegar una mujer que vive preocupada constantemente por el qué dirán.

- ► Queda claro cuán profundo era su amor por David, tan profundo que lo defiende de su propio padre, le ayuda a escapar, distrae al enemigo poniendo una figura en su cama. Hace todo por él. Pero, no resiste ver a su marido haciendo lo que ella considera "desfiguros", aunque fuesen por Dios.

- ► Que el amor a uno mismo puede llegar a ser muy fuerte y llevarnos a extremos impensables.

- ► Que el respeto humano, el qué dirán los demás, seca, vacía, acaba con muchas cosas.

- ► Que el respeto humano, que el qué dirán los demás, frena posibles iniciativas. Inmoviliza a personas con buenas intenciones.

- ► Que cuando una persona vive muy preocupada por el qué dirán, no es libre. Es esclava de lo que podrían llegar a pensar los demás. ¿Cuántas cosas buenas se dejan de hacer por culpa del qué dirán?

- ► Que debemos dar a Dios el primer lugar y dejar que otros se lo den también.

- ► Que debemos respetar a los demás.

- ► A respetar la relación de los demás con Dios.

- ► A respetar sus sentimientos

- ► A no querer imponer nuestra forma de pensar a los demás. Sí, tratar de llevarlos a la verdad, pero respetando su libertad.

- ► Que la devoción es personal.

- ► Que la devoción se traduce en acción.

- ► Que la devoción tiene como finalidad honrar y reverenciar a Dios.

► Que alabar a Dios con canto, música y danza es una manera de expresar, con todo nuestro ser, nuestra alegría y gratitud a Dios.

¿Qué nos dice el *Catecismo de la Iglesia Católica*?

§1823: Jesús hace de la caridad el mandamiento nuevo (cf Jn 13:34). Amando a los suyos 'hasta el fin' (Jn 13:1), manifiesta el amor del Padre que ha recibido. Amándose unos a otros, los discípulos imitan el amor de Jesús que reciben también en ellos. Por eso Jesús dice: 'Como el Padre me amó, yo también os he amado a vosotros; permaneced en mi amor' (Jn 15:9). Y también: 'Este es el mandamiento mío: que os améis unos a otros como yo os he amado' (Jn 15:12).

§1803: La virtud es la disposición habitual de hacer siempre el bien.

§1804: Las virtudes humanas son actitudes que regulan nuestros actos.

§1822: La caridad virtud por la que amamos.

§2097: Adorar a Dios es reconocer, con respeto y sumisión absolutos, la 'nada de la criatura', que sólo existe por Dios. Adorar a Dios es alabarlo, exaltarle y humillarse a sí mismo, como hace María en el Magníficat, confesando con gratitud que El ha hecho grandes cosas y que su nombre es santo (cf Lc 1:46-49). La adoración del Dios único libera al hombre del repliegue sobre sí mismo, de la esclavitud del pecado y de la idolatría del mundo.

§2096: La adoración implica reconocer a Dios como Creador.

§2099: Los sacrificios como señales de adoración.

§2135: Adorar a Dios constituye obedecer el primer mandamiento.

Cuestionario para la reflexión personal

► ¿Soy consciente de que en mi vida diaria se me presentan innumerables oportunidades para hacer el bien? ¿Las aprovecho o las dejo pasar por miedo al qué dirán?

► ¿Me queda claro que debo aprovechar todas las ocasiones para hacer el bien?

► ¿Me esfuerzo por no ser victima del qué dirán, sino que trato de seguir la voz de mi conciencia que me llama a hacer el bien?

► ¿Esto se ve reflejado en mis propósitos por ser una mejor persona en todas las facetas de mi vida como la familia, el trabajo, la comunidad?

► ¿He reflexionado cómo Dios se vale de los hombres para llegar a los corazones de los demás?

► ¿Cuál es mi actitud ante personas o comunidades que alaban a Dios de una manera diversa a la mía? Quizás no canten muy bien, quizás opten por asistir a Celebraciones Eucarísticas que duren más que otras, quizás sea en latín.

► ¿Busco la mejor manera de alabar a Dios de acuerdo con mi personalidad, mi cultura o mis preferencias? ¿O me da igual si lo alabo o no?

► ¿He reflexionado en cómo los actos de adoración deben ser expresión externa de lo llevo dentro?

► ¿Ayudo en mi parroquia en la Liturgia?

Preguntas y actividades para realizar en grupo

▶ Hacer una reflexión del siguiente pasaje evangélico:

"No juzguen y no serán juzgados; no condenen y no serán condenados; perdonen y serán perdonados. Den, y se les dará; se les echará en su delantal una medida colmada, apretada y rebosante. Porque con la medida que ustedes midan serán medidos ustedes.»[...] ¿Y por qué te fijas en la pelusa que tiene tu hermano en un ojo, si no eres consciente de la viga que tienes en el tuyo? ¿Cómo puedes decir a tu hermano: "Hermano, deja que te saque la pelusa que tienes en el ojo", si tú no ves la viga en el tuyo? Hipócrita, saca primero la viga de tu propio ojo para que veas con claridad, y entonces sacarás la pelusa del ojo de tu hermano" (Lc 6:37-38,41).

▶ Hacer una lluvia de ideas de cómo se puede alabar a Dios, en el templo, en la casa, en lo oculto, en la comunidad, etc., en definitiva, cómo es posible alabar a Dios en la vida diaria y en cada momento.

▶ Hacer una lista de las diferentes tradiciones culturales y religiosas que tenemos para alabar a Dios. Sería muy interesante que alguna persona las anotara, dividiéndolas por países y se compartieran con más miembros de la comunidad.

▶ Pensar en qué se podría hacer para transmitir a las siguientes generaciones esas tradiciones culturales y religiosas. Lo ideal sería hacer un plan específico.

▶ Reflexionar sobre lo que se nos dice en el libro de los Proverbios:

"¡Un nombre respetado es mejor que grandes riquezas; ser estimado es mejor que el oro y la plata!" (Proverbios 22:1).

► El evangelio nos dice que:

"Un hombre sabio y prudente, edificó su casa sobre roca. Cayó la lluvia, se desbordaron los ríos, soplaron los vientos y se arrojaron contra aquella casa, pero la casa no se derrumbó, porque tenía los cimientos sobre roca" (Mateo 7:24-25).

¿A que se refiere con "roca"?

Propósitos prácticos

► Comenzar el día con una oración en la cual ofrezca mis obras a Dios. Que todo lo que haga sea para mayor gloria suya y bien de mis hermanos, los hombres.

► Estar atento a las necesidades tanto materiales como espirituales, de los que me rodean, buscando hacer el bien en el ambiente donde vivo.

► Pedir al Espíritu Santo ayuda para que sepa aprovechar las ocasiones de hacer el bien.

► Leer el Evangelio todos los días, para conocer mejor a Jesús y poder actuar como él actuaría.

► Alabar a Dios a lo largo del día, en las diversas circunstancias en que me encuentre.

► Memorizar algún Salmo de alabanza, para poder repetirlo constantemente.

► Transmitir a las siguientes generaciones nuestras tradiciones culturales y religiosas que nos ayudan a alabar a Dios con canto, música y danza.

Oración

Padre misericordioso,
>   Tú que creaste a todos lo hombres
>   a imagen y semejanza tuya,
>   ayúdame a nunca juzgar a los demás.
>   Recuérdame que cada alma tiene sus motivaciones
>   que la llevan a actuar de determinada manera
>   y que no conozco los motivos de sus acciones.
>   Ayúdame a que, si voy a hablar de los demás,
>   sea siempre de manera positiva
>   y de no ser así, ayúdame a mantenerme callado.
>   Elimina de mi corazón la intención juzgar,
>   de mi boca, la de criticar.
>   Borra en mi todo rastro de malicia
>   y por tu misericordia, crea en mí, oh Dios,
>   un corazón puro.

>   Tú que eres amor infinito,
>   lléname de una actitud amorosa
>   y nunca permitas que me separe de ti.
>   Todo esto te pido en el nombre de nuestro Señor Jesucristo,
>   que contigo vive y reina por los siglos de los siglos.
>   Amén.

IV.
MUJERES
SABIAS Y
PRUDENTES

CAPÍTULO 8

▼▼▼▼▼▼▼

ANA
mujer de oración y acción

"La oración no es el efecto de una actitud exterior, sino que procede del corazón. No se reduce a unas horas o momentos determinados, sino que está en continua actividad, lo mismo de día que de noche. No hay que contentarse con orientar a Dios el pensamiento cuando uno se dedica exclusivamente a la oración; sino que, aun cuando se encuentre absorbida por otras preocupaciones... hay que sembrarlas del deseo y recuerdo de Dios".

SAN JUAN CRISÓSTOMO
HOMILÍA 6, SOBRE LA ORACIÓN.

Objetivo

En una sociedad donde se dedica poco tiempo a entrar en verdadero diálogo con Dios, Ana se nos presenta como un ejemplo de mujer quien, aun pasando por circunstancias muy difíciles y siendo incomprendida por los de su alrededor, pone su confianza en Dios.

Texto bíblico: *1 Samuel 1:1-2,10; 2:18-21*

Introducción al personaje

¿Quién es Ana?

La historia de Ana es la historia de muchas mujeres, quienes a través de los siglos, han enfrentado la dolorosa realidad de querer ser madres y no poder serlo. Ana es una mujer hebrea, esposa de Elacaná, con quien sube anualmente al Santuario de Siló, a presentar su ofrenda y pedirle a Yavé que le dé un hijo.

Lo hermoso de esta historia es que, si bien su tristeza es muy grande, su confianza en Yavé lo es aún más. Para el final de la narración, tanto ella como nosotros estaremos felices: ¡Dios escucha su súplica! Meses después, nace Samuel a quien ella consagra a Yavé.

Desarrollo de la historia bíblica

El primer libro de Samuel inicia con la historia de Ana. Allí la vemos subiendo, como anualmente lo hacía, al santuario de Silo para adorar a Yavé y ofrecerle sacrificios. Esta peregrinación era una actividad familiar. Nos cuenta la Escritura que iba con su esposo Elcana y la otra esposa de éste.

De inmediato se nos dice que Ana no tenía hijos porque Yavé la había vuelto estéril, mientras que la otra esposa de Elcana, llamada Penina, sí tenía hijos. Debemos tener presente que nuestros antepasados en la fe veían todo, absolutamente todo, como venido de Dios: la riqueza o la pobreza, la salud o la enfermedad, la fertilidad o la infertilidad. Por ello, el no poder tener hijos, era visto como una acción de Dios.

Además, nos encontramos con la problemática de dos mujeres enamoradas del mismo hombre. Es una relación en la que todos pierden, porque el ser humano está hecho para tener una relación conyugal en totalidad, es decir en una entrega total de cuerpo, inteligencia, voluntad y sentimientos. Y cuando esta entrega no es total, todos sufren. Hay que tomar en cuenta que esta historia se desarrolla en el Antiguo Testamento, esto es, en una época en que el concepto de monogamia no se percibía con tanta claridad como ahora. Pero vemos que, aun en aquella época, donde la poligamia –generalmente el matrimonio de un hombre con varias mujeres– aun siendo común y aceptada, de todas maneras las partes sufrían. Y en esta historia lo vemos claramente.

Volviendo a nuestra historia, el texto bíblico nos dice que Ana era infértil, por lo que Penina la humillaba. Esto no hacía otra cosa que aumentar su pena. Por otro lado, Elcana a la hora de ofrecer un sacrificio, daba sus porciones a Penina y a los hijos de ésta, pero a Ana le daba una doble porción, pues era su preferida.

Y cada año que vuelven en su peregrinación a la casa de Yavé, sucede lo mismo: Penina, al sentirse no preferida, provoca a Ana para irritarla. Ana llora y deja de comer. Elcana reacciona diciendo: "Ana, ¿por qué lloras, por qué no comes, por qué estás tan triste? ¿No valgo para ti más que diez hijos?" (1 S 1:8).

En esta ocasión, Ana se levanta después de haber comido y bebido, y se va al Templo a orar. En esos momentos se encontraba ahí el sacerdote Helí, quien desde lejos observaba la escena. "Muy apenada [Ana] rezó a Yavé sin dejar de llorar; le hizo esta promesa: «Yavé de los ejércitos, mira con bondad la pena de tu sierva y acuérdate de mí. No te olvides de tu sierva, sino que dale un hijito. Lo consagraré a Yavé para el resto de sus días" (1 S 1:10-11).

Y mientras ella oraba delante del Yavé, Helí observaba que sus labios se movían, pero su voz no se oía, porque Ana oraba desde el fondo de su corazón. Por lo cual el sacerdote Helí llega a la conclusión de que Ana está borracha y le dice que se vaya del Templo.

¡Pobre Ana, triste por su infertilidad, dolida porque se burla de ella la otra esposa de Elcana y ahora encima acusada de embriagarse! Ahora sí, como dice el dicho, "Si no le llueve, le llovizna."

Ana, ni tarda ni perezosa, le responde a Helí: "Señor, yo sólo soy una mujer que tiene pena; no he tomado vino ni bebida alcohólica, sino que estaba expandiendo mi corazón delante de Yavé. No tomes a tu sirvienta por una mujer cualquiera; si me quedé tanto rato orando ha sido porque mi sufrimiento y mi pena son muy grandes (1 S 1:15-16). Se puede entrever que el sacerdote Helí se conmueve, le dice que se vaya en paz, con la esperanza de que el Dios de Israel le conceda la petición que le ha hecho.

Aunque a primera vista nada ha cambiado, ella sigue siendo estéril, pero hay un cambio en el interior de Ana, ahora tiene esperanza y es esa esperanza la que hace que su actitud sea diferente. Se nos dice que su semblante ha cambiado, que se pone en camino, come y, a la mañana siguiente, después de adorar al Señor, toda la familia regresa a su casa en Ramá, donde tiene relaciones con su esposo Elcaná. El texto bíblico nos dice que Yavé se acordó de ella.

"Elcana tuvo relaciones con su mujer Ana y Yavé se acordó de ella. Cuando se hubo cumplido el plazo, Ana dio a luz un niño, al que puso el nombre de Samuel, pues decía: «Se lo pedí a Yavé». (1 Samuel 1:20). El pequeño Samuel es amamantado por su madre, quien una vez que le quita el pecho, lo lleva a la casa de Yavé en Siló donde se presenta con un novillo de tres años, una medida de harina y un odre de vino. Una vez sacrificado al novillo, le presentó al sacerdote Helí al pequeño Samuel a quien le dice: «Perdona, señor, tan cierto como que tú vives, señor, que yo soy la mujer que estuvo cerca de ti orándole a Yavé. Yo rezaba por este niño y Yavé me concedió lo que le pedía. Yo ahora se lo cedo a Yavé para el resto de sus días; él será donado a Yavé». Así fue como se quedó al servicio de Yavé" (1 Samuel 1:26-28).

Ana cierra su aparición en el texto bíblico con broche de oro, recitando una de las más bellas oraciones que se encuentran en la Biblia. La oración es conocida como el Cántico de Ana:

> Mi corazón se alegra con Yavé,
> llena de fuerza me siento con Yavé;
> ya puedo responder a quienes me ofendían
> porque me salvaste, y soy feliz.
>
> No hay otro Santo que Yavé,
> nadie hay fuera de ti
> ni otra roca fuera de nuestro Dios.
>
> Basta de palabras altaneras,
> no salga más la arrogancia de sus bocas.
> Yavé es un Dios que todo lo sabe,
> él es quien pesa las acciones.
>
> Se rompe el arco de los poderosos,
> pero de fuerza se ciñen los débiles.
> Los satisfechos trabajan por un pan,
> pero los hambrientos ahora descansan;
> la que era estéril tiene siete partos,
> otra, con muchos hijos, queda sola;

Yavé da muerte y vida,
hace bajar al lugar de los muertos
y hace que de allí vuelvan.
Yavé empobrece y enriquece,
Él humilla, pero luego levanta.

Saca del polvo al pequeño
y retira al pobre del estiércol
para que se siente entre los grandes
y para darle un trono de gloria.
De Yavé son la tierra y sus columnas,
sobre ellas el mundo estableció.

Él guía los pasos de sus fieles,
pero los malos desaparecen en las tinieblas:
pues no por la fuerza triunfa el hombre.
¡Cuando truena en los cielos el Altísimo,
los que odian a Yavé son aplastados!

Yavé manda hasta el confín del mundo:
da la fuerza a su Rey
y hace invencible a su Ungido.

(1 SAMUEL 2:1-10)

Y es así como Samuel se quedó al servicio del Señor.

¿Qué nos enseña Ana?

► A ser cuidadosos con nuestras palabras, especialmente al hablar sobre temas que puedan herir a los demás. En el caso de Ana era la infertilidad. Con otras personas puede ser su sobrepeso, su situación legal o matrimonial, quizá el tema del dinero, de los hijos, etc.

► A nunca, de manera consciente, humillar a otra persona como lo hizo Penina. Habrá veces que sin querer hiramos a alguien, pero una cosa es hacerlo sin darnos cuenta y otra, a propósito. Eso no es correcto.

- ► A no enamorarse de hombres o mujeres casados. Ésos ya están dados y tomados. Recordar que en las infidelidades todos salen perdiendo: el que se enamora, el cónyuge, los hijos, los padres de la esposa, los padres del esposo, los padres de la que se enamora, los posibles hijos que nazcan de esta relación. En definitiva, por donde se vea, lo único que se obtiene es sufrimiento.

- ► A no ser menospreciar los sentimientos ajenos. Esto lo hizo Elcaná al decirle a Ana que no tenía razón para llorar, pues con tenerlo a él era más que suficiente, que era mejor que tener a diez hijos.

- ► A orar de manera confiada como lo hizo Ana.

- ► A no juzgar sin saber lo que realmente está pasando, como lo hizo el sacerdote Helí; quien no comprendió que Ana estaba orando porque se encontraba en un momento de profundo desconsuelo y, en cambio, ¡la acusa de estar borracha!

- ► A aclarar las cosas de manera inmediata cuando hay una confusión, como lo hizo Ana con Helí, diciéndole que ella no era ninguna mala mujer, sino que estaba abriendo su corazón a Dios.

- ► A vivir la virtud teologal de la esperanza, como hizo Ana. Después de presentar su oración al Señor sale más tranquila, tanto que hasta el texto bíblico nos dice que su semblante cambió.

- ► A ser agradecidos con Dios.

- ► A cumplir con aquello que prometemos al Señor, como hizo Ana. Ella prometió a Dios que, si le daba un hijo, lo consagraría a Él para el resto de sus días. Si prometemos algo a Dios, se lo cumplimos.

- ► A darle a Dios lo mejor que tenemos como hizo Ana. Eso no quiere decir que vayamos a la parroquia y entreguemos nuestros hijos al sacerdote. Se trata más bien de llevar a los niños, desde pequeños, a la casa de Dios; de enseñarles la importancia que tiene darle a Dios lo mejor; de hacer que, desde niños, aprendan sobre Dios llevándolos a sus clases de formación religiosa, a la Celebración Eucarística; a que acudan al sacramento de la reconciliación, a las actividades de los jóvenes, etc. A animarlos y hacerlos ver la importancia y el honor que significa poder asistir a la casa de Dios.

▶ A cantar las maravillas de Dios.

¿Qué nos dice el *Catecismo de la Iglesia Católica*?

El *Catecismo de la Iglesia Católica* dedica la llamada "Cuarta parte" a la oración cristiana. Es muy recomendable leer el apartado que se titula "¿Qué es la oración?", donde se habla del llamado universal a la oración, de la oración de petición, de intercesión, de acción de gracias, de alabanza, de la vida de oración para terminar con una amplísima explicación sobre la oración que el Señor nos enseñó: el Padrenuestro.

A continuación citamos un número del *Catecismo de la Iglesia Católica* dedicado a la oración de petición:

§2629: Mediante la oración de petición mostramos la conciencia de nuestra relación con Dios: por ser criaturas, no somos ni nuestro propio origen, ni dueños de nuestras adversidades, ni nuestro fin último; pero también, por ser pecadores, sabemos, como cristianos, que nos apartamos de nuestro Padre. La petición ya es un retorno hacia El.

Cuestionario para la reflexión personal

▶ ¿Soy una persona que crítica todo y a todos?

▶ ¿Cuánto tiempo de mi conversación lo dedico a hablar de los demás?

▶ ¿He humillado conscientemente a alguien? ¿He hecho algo para reparar el daño?

▶ ¿Hay alguien a quien aun deba una disculpa por haberlo humillado? ¿Qué pienso hacer?

▶ ¿Tomo en cuenta los sentimientos de los demás? ¿Siempre, a veces, nunca?

▶ ¿Me pongo en su lugar? ¿Me detengo a reflexionar en lo que pueden estar sintiendo, pensando, de dónde vienen, en que quizá han sufrido con anterioridad?

▶ ¿Confió en Dios? ¿Realmente? ¿Siempre?

▶ Cuando sucede algún incidente en el que se malinterpreta mi actitud o la de alguien más, ¿aclaro los acontecimientos o lo dejo pasar? ¿Si lo dejo pasar, por qué lo hago? ¿No me gusta la confrontación?

▶ ¿Vivo la virtud de la esperanza? ¿Realmente confío en Dios o confío más en mis propias fuerzas?

▶ ¿Le he prometido algo a Dios que no he cumplido? ¿Por qué sí o por qué no? ¿Qué pienso hacer al respecto?

▶ ¿Me preocupa la vida espiritual de mi familia? ¿Algo todo lo posible para que todos aquellos que están cerca de mí conozcan a Dios? ¿Qué más puedo hacer?

Preguntas y actividades para realizar en grupo

▶ ¿Qué hemos aprendido de Ana, de Helí y de Elcaná?

▶ Supongan que están en el Santuario de Siló al mismo tiempo en que Ana hace su oración y que el sacerdote Helí habla con ella. ¿Qué le darían a Ana? ¿Cómo la consolarían?

▶ Comparen el Cantico de Ana (1 Samuel 2,1-10) con el Magníficat que recita la Virgen María cuando visita a su prima Isabel (Lucas 1,46-55). ¿En qué se parecen? ¿Qué tienen de diferente?

▶ Entre todo el grupo compongan un canto de alabanza a Dios. Pueden seguir estos pasos:

  ▷ Decir las razones por las que quieren alabar a Dios.

  ▷ Una persona tome nota de todas las ideas.

  ▷ Entre todos los miembros del grupo compongan el cántico.

▶ Hagan una lluvia de ideas sobre cómo pueden ayudar a mujeres que estén tristes por situaciones sobre las cuales no tienen ningún control. Como en el caso de Ana, no había nada que ella pudiese hacer para superar su infertilidad.

▶ Recordar y compartir con el grupo ocasiones en las que se haya percibido la respuesta de Dios a las propias oraciones, recordando que Dios siempre responde, aunque no siempre de la manera en que nosotros queremos.

▶ Reflexionar sobre lo que nos dice Jesús:

"Pidan y se les dará; busquen y hallarán; llamen y se les abrirá la puerta. Porque el que pide, recibe; el que busca, encuentra; y se abrirá la puerta al que llama. ¿Acaso alguno de ustedes daría a su hijo una piedra cuando le pide pan? ¿O le daría una culebra cuando le pide un pescado? Pues si ustedes, que son malos, saben dar cosas buenas a sus hijos, ¡con cuánta mayor razón el Padre de ustedes, que está en el Cielo, dará cosas buenas a los que se las pidan!" (Mateo 7:7-11).

Propósitos prácticos

▶ Antes de emitir un juicio, pensar en lo que pudo haber llevado a una persona a actuar como lo hizo. "Ponerme en sus zapatos".

▶ Procurar siempre hablar bien de los demás. Si no tengo nada bueno que decir, mejor no hablar.

▶ Buscar a aquella persona a quien en el pasado pueda haber humillado, hablar con ella, disculparme.

▶ Esforzarme por tomar en cuenta los sentimientos de los demás, de forma que, al hablar con ellos, lo haga de forma amable.

▶ Hacer un esfuerzo por alabar a Dios diariamente, sobre todo, por ser mi Padre y Creador. Darle su lugar.

▶ Cuando tenga que aclarar una situación, hacerlo de manera clara, pero siempre con caridad.

▶ Vivir con esperanza. No dejar que el pesimismo y la desesperación se apoderen de mi alma. En cuanto sienta que la desesperanza se esta introduciendo a mi corazón, recordar que tengo al mejor y más amoroso de los Padres.

▶ Leer la Carta Encíclica *Spe Salvi*, sobre la esperanza cristiana, escrita por su Santidad Benedicto XVI.

▶ Memorizar el Magnificat de forma que pueda recitarse en momentos de dificultad.

Oración

Acordaos,
oh piadosísima Virgen María,
que jamás se ha oído decir
que ninguno de los que han acudido
a tu protección,
implorando tu asistencia
y reclamando tu socorro,
haya sido abandonado de ti.

Animado con esta confianza,
a ti también acudo,
oh Madre,
Virgen de las vírgenes,
y aunque gimiendo
bajo el peso de mis pecados,
me atrevo a comparecer
ante tu presencia soberana.

No deseches mis humildes súplicas,
oh Madre del Verbo divino,
antes bien, escúchalas
y acógelas benignamente.
Amén.

San Bernardo de Clairvaux

CAPÍTULO 9

▼▼▼▼▼▼▼

La historia de una mujer del segundo libro de los Macabeos quien tiene muy claro el valor de la vida eterna.

"El Reino de los Cielos es como un tesoro escondido en un campo. El hombre que lo descubre, lo vuelve a esconder; su alegría es tal, que va a vender todo lo que tiene y compra ese campo. Aquí tienen otra figura del Reino de los Cielos: un comerciante que busca perlas finas. Si llega a sus manos una perla de gran valor, se va, vende cuanto tiene y la compra. Aquí tienen otra figura del Reino de los Cielos: una red que se ha echado al mar y que recoge peces de todas clases. Cuando está llena, los pescadores la sacan a la orilla, se sientan, escogen los peces buenos, los echan en canastos y tiran los que no sirven"

(MATEO 13:44-48).

"Ni ojo vio, ni oído oyó, ni por mente humana han pasado las cosas que Dios ha preparado para los que lo aman"

(1 CORINTIOS 2:9).

Objetivo

En un mundo que huye del dolor, de la tristeza y de todo aquello que incomode; en un mundo que valora la gratificación, el aquí y ahora, esta mujer es un ejemplo de alguien que con los ojos levantados hacia Dios y de cara a la eternidad.

Esta mujer cuyo nombre no es mencionado en las Sagrada Escritura se nos presenta como un modelo de amor a Dios y de valor. Estas actitudes tienen su origen en las virtudes teologales, es decir, la fe, la esperanza y la caridad

Texto bíblico: *2 Macabeos 7*

Introducción al personaje

¿Quién es esta madre de siete hermanos cuyo nombre no se menciona en la Sagrada Escritura? La Sagrada Escritura habla de ella en el segundo libro de los Macabeos, capítulo siete, en un pasaje conocido como el martirio de los siete hermanos.

Se preguntarán ustedes, ¿por qué dedicar un capítulo de este libro a una mujer de la cual ni siquiera conocemos su nombre? La respuesta es: por su fidelidad a Dios. Una fidelidad que fue capaz de inculcar en los corazones de sus siete hijos. No sólo ella fue fiel, también lo fueron sus hijos. Eso nos habla de que fue una excelente educadora, alguien que supo enseñar a sus hijos que la obediencia a Dios es más importante que la propia vida.

Desarrollo de la historia bíblica

La historia de esta buena mujer, comienza con la narración en el segundo libro de los Macabeos del arresto de siete hermanos, a quienes se les quiere obligar a comer carne de cerdo. El objetivo era hacer que violaran la ley judía que prohibí ingerir ese tipo de alimentos. Aquí cabe la pregunta, ¿por qué el rey quería que esta familia no cumpliese con la ley? En realidad, como sabemos, lo primero que quieren los reyes es que los ciudadanos cumplan la ley.

Para contestar a esta cuestión es necesario que vayamos a la historia y entendamos qué estaba pasando en esa época. En los dos libros de los Macabeos se nos describe una época muy difícil de la historia del pueblo judío, ya que habían sido conquistados por el imperio más grande y poderoso de la época, el Imperio Griego.

El pueblo judío, no queriendo estar sometido a un imperio extranjero, quien no solamente los dominaba políticamente sino que también quería imponerles su forma de pensar en materia religiosa, comienza una rebelión liderada por los Macabeos. Los griegos, por su parte, persiguen a aquellos judíos que insisten en mantenerse fieles a la ley judía.

En ese contexto histórico los siete hermanos son arrestados y el rey quiere que coman carne de cerdo, para que así infrinjan la ley judía, la ley de Yavé que les prohíbe comer carne de cerdo.

Al ser detenidos, uno de los hermanos, tomando la palabra, dice al rey: "¿Qué exiges y qué quieres saber de nosotros? Estamos dispuestos a morir antes que desobedecer a la Ley de nuestros padres" (2 M 7:2). Ante tal afirmación el rey, furioso, ordena que calienten ollas y sartenes, que se le corte la lengua por hablar en nombre de todos, que se le arranque el cuero cabelludo, le corten las extremidades y lo cocinen en el sartén. El sentenciado, ante su madre y hermanos, quienes se daban animo unos a otros para ser valientes, dice: "El Señor Dios que nos mira tendrá seguramente piedad de nosotros, según la palabra de Moisés en el Cántico que pronunció frente a todos. Allí se dice: Tendrá piedad de sus servidores" (2 M 7:6). Y se nos dice que pasó a la otra vida.

La afirmación de que hay otra vida es importantísima. No

todo está en el aquí y ahora, hay algo más que esta vida. Y esta madre lo tiene muy claro.

El segundo es torturado y en el último momento de su vida dice al rey: "¡No eres más que un criminal! Nos quitas la vida presente, pero el Rey del Universo nos resucitará a una vida eterna, a nosotros que morimos por fidelidad a sus leyes" (2 M 7:9).

Torturan al tercero, quien dice: "Del Cielo he recibido estas manos, pero las sacrifico por sus leyes, y de él espero que me las devuelva" (2 M 7:11). El rey y su corte están asombrados por su valentía.

Sigue el suplicio del cuarto hermano, quien antes de expirar dice: "Felices los que mueren a manos de los hombres, teniendo la esperanza recibida de Dios de ser resucitados por él; pero para ti no habrá resurrección para la vida" (2 M 7:14).

Aquí nos queda claro que esa mamá ha sembrado en los corazones de sus hijos un amor muy profundo a Dios, a sus leyes, una confianza muy grande en él y la esperanza en la vida eterna, lo que nosotros comúnmente llamamos el Cielo. No cabe duda de que hizo un buen trabajo. Ha logrado que sus hijos vuelvan los ojos al Cielo. Viven como aquellos que están simplemente de paso por esta tierra, sabiendo que su verdadera patria es el Cielo.

Por eso vemos a estos valientes muchachos dispuestos a perder su vida para salvarla, como nos dice Jesucristo: "Si alguno quiere seguirme, que se niegue a sí mismo, que cargue con su cruz de cada día y que me siga. Les digo: el que quiera salvarse a sí mismo, se perderá; y el que pierda su vida por causa mía, se salvará" (Lc 9:23-24).

Continuemos con la historia de esta valerosa madre y sus hijos. Es el turno del quinto hijo a quien torturan, pero no deja ir la oportunidad de decirle al rey: "Aunque eres mortal, tienes autoridad sobre los hombres y haces lo que quieres, pero no creas que nuestra raza esté abandonada de Dios. Espera y verás su gran poder y cómo te atormentará a ti y a tu raza" (2 M 7:16-17).

Llega el turno del sexto quien antes de morir dice al rey: "tú, que te atreves a hacerle la guerra a Dios, no creas que quedarás sin castigo" (2 M 7:19).

Después de la muerte del sexto hijo, el autor del segundo libro de los Macabeos, hablando sobre la madre dice: "¡Esa madre que vio morir a sus siete hijos en el transcurso de un solo día fue realmente admirable y merece ser famosa! Lo soportó todo sin flaquear, basada en la esperanza que ponía en el Señor. Fue animando a cada uno de ellos en la lengua de sus padres" (2 M 7:20-21a). ¡Vaya mujer, sí que es de admirarse! Perdió no a uno, ni a dos o tres de sus hijos, sino a siete, que por cierto dentro de las Sagradas Escrituras, el número siete significa plenitud.

Continúa el relato con la madre afirmando no saber cómo es que sus hijos llegaron a su vientre, diciendo que ella no les dio el espíritu y la vida, ni fue quien los formo en sus entrañas, sino que fue el Creador del mundo. Por último, manifiesta su confianza en la misericordia de Dios quien dará a sus hijos el espíritu y la vida "ya que ahora se menosprecian a sí mismos por amor a sus leyes" (2 M 7:23).

Pero todavía quedaba vivo el menor de sus hijos, y el rey ni tardo ni perezoso, pone manos a la obra para tratar de que, por lo menos uno, renuncie a su fe. Le promete riquezas, poder, su amistad y felicidad, que es algo que todos queremos. Pero el joven no le hace caso. Entonces el rey recurre a la madre para que influya en él y lo convenza de que coma carne de cerdo, y así salve su vida.

Pero esta mujer que se las sabía de todas todas, acepta la invitación del rey se acerca a su hijo y hablando en la lengua de sus padres le dice: "¡Hijo mío, ten piedad de mí! Te llevé en mis entrañas nueve meses, te amamanté durante tres años, te he alimentado y educado hasta la edad que tienes; me he preocupado en todo de ti. Te suplico pues, hijo mío, que mires el cielo y la tierra, y contemples todo lo que contienen; has de saber que Dios fue quien los hizo de la nada; así apareció la raza humana. No le temas a ese verdugo, sino que muéstrate digno de tus hermanos, acepta la muerte para que te encuentre con tus hermanos en el tiempo de la misericordia" (2 M 7:27-29).

El rey pensaba que la madre lo estaba animando a renunciar a su fe, con tal de salvar la vida y, en realidad, lo que hace es animarlo a ser fiel a Dios. El joven afirma: "Yo no obedezco a las órdenes del rey, obedezco más bien a las prescripciones de la Ley dada por Moisés a nuestros padres... Mis hermanos sufrieron una prueba pasajera a cambio de una vida que no se acaba y ya están cubiertos por la Alianza de Dios" (2 M 7:30,36). El rey se enfurece por las palabras del joven y lo tortura más cruelmente que a los otros".

Así murió ese joven, en la rectitud y en la total confianza en el Señor. Al último murió la madre, después de sus hijos (2 M 7:40-41). Con estas palabras termina el relato y la vida de la fiel madre.

¿Qué nos enseña esta mujer?

▶ A amar a Dios sobre todas las cosas. Esta madre cumple con aquello que Moisés pide al pueblo de Dios en el libro del Deuteronomio: "Estos son los preceptos, las normas y los mandamientos que Yavé, Dios de ustedes, me mandó, para que yo se los enseñe y ustedes los cumplan...Escucha, Israel: Yavé, nuestro Dios, es Yavé-único. Y tú amarás a Yavé, tu Dios, con todo tu corazón, con toda tu alma y con todas tus fuerzas" (Dt 6:1,4-5).

▶ También nos enseña a llevar a otros a amar a Dios: "Graba en tu corazón los mandamientos que yo te entrego hoy, repíteselos a tus hijos, habla de ellos tanto en casa como cuando estés de viaje, cuando te acuestes y cuando te levantes" (Dt 6:1,6-7).

- Que hay una vida eterna y que vale la pena cualquier sacrificio para llegar a ella. El libro de la Sabiduría nos habla de esto: "Las almas de los justos están en las manos de Dios y ningún tormento podrá alcanzarlos" (Sb 3:1).

- A tener claro en nuestro corazón y en nuestra mente lo que significa volver a Dios, de quien salimos, como nos dice el libro del Génesis: "Dijo Dios: «Hagamos al hombre a nuestra imagen y semejanza. Que tenga autoridad sobre los peces del mar y sobre las aves del cielo, sobre los animales del campo, las fieras salvajes y los reptiles que se arrastran por el suelo.»Y creó Dios al hombre a su imagen. A imagen de Dios lo creó. Varón y mujer los creó" (Gn 1:26-27).

- Que los hijos son, en definitiva, prestados. Que Dios nos los confía para que se los formemos y se los devolvamos.

- A sembrar en los corazones de nuestros hijos, de nuestros conocidos, de las personas que nos rodean un profundo amor a Dios y a sus mandamientos.

- A tener muy claro que no estamos solos en el camino al Cielo, que Jesús es nuestro compañero. Así nos lo dijo antes de ascender al Cielo: "Yo estoy con ustedes todos los días hasta el fin de la historia" (Mt 28:20).

- A no desesperarnos si no sabemos bien cómo hacer para que los nuestros vuelvan sus ojos a Dios, ya que tenemos la promesa de Jesús de que si nosotros buscamos primero el reino y su justicia, lo demás también se nos dará (cf. Mt 6:33).

- A infundir en nuestras almas, en las de nuestros hijos y en los que nos rodean la virtud teologal de la esperanza. Sí, que todos aprendamos a esperar en Dios quien es la misericordia infinita. Esperemos en él, en su ayuda, en su apoyo, en su caminar con nosotros.

- A comprender, como nos dice Su Santidad Benedicto XVI en su encíclica sobre la Esperanza, que Dios es solidario y está cerca de nosotros, de manera especial cuando el dolor nos visita. Un Dios cercano al hombre, ¡que tranquilidad en el caminar!

¿Qué nos dice el *Catecismo de la Iglesia Católica*?

§1010: Gracias a Cristo, la muerte cristiana tiene un sentido positivo. "Para mí, la vida es Cristo y morir una ganancia" (Flp 1:21). "Es cierta esta afirmación: si hemos muerto con él, también viviremos con él" (2 Tm 2:11). La novedad esencial de la muerte cristiana está ahí: por el Bautismo, el cristiano está ya sacramentalmente "muerto con Cristo", para vivir una vida nueva; y si morimos en la gracia de Cristo, la muerte física consuma este "morir con Cristo" y perfecciona así nuestra incorporación a El en su acto redentor: Para mí es mejor morir en Cristo Jesús que reinar de un extremo a otro de la tierra (San Ignacio de Antioquía, Rom 6:1-2).

§ 992: La resurrección fue revelada poco a poco por Dios a los hombres.

§1007: La muerte es el final de la vida en la tierra.

§1011: La muerte es un llamado de Cristo los hombres.

§1013: No hay reencarnación.

§1014: Es importante tener una buena preparación.

§1020: La muerte es la entrada a la vida eterna.

§1023: Aquellos que mueren en gracia, están listos para vivir siempre con Jesucristo.

Cuestionario para la reflexión personal

► ¿He tomado en serio el mandamiento de "amar a Dios sobre todas las cosas"? ¿Realmente?

► ¿Qué va primero: mis gustos y caprichos, mi comodidad o Dios?

► ¿Considero que es importante llegar al Cielo al fin de la vida? ¿Por qué?

► ¿Me comporto como alguien que quiere llegar al Cielo? ¿O como alguien que "sólo a veces" quiere llegar al Cielo?

► ¿He enseñando a otros a amar a Dios sobre todas las cosas? ¿Lo he hecho con mis palabras o con mi ejemplo, o con los dos?

► ¿He tomado en serio mi papel de formador de mis hijos, sobrinos, etc?

► ¿Soy consciente de que Jesús es mi compañero de camino? ¿Qué en realidad no estoy solo en mi camino al Cielo?

► ¿Qué puedo hacer para valorar más la grandeza de la vida eterna al lado de Dios? ¿Qué necesito para comprender que es algo maravilloso ya que para eso fui creado?

► ¿Qué puedo hacer para que los demás valoren más la grandeza de una vida eterna al lado de Dios?

Preguntas y actividades para realizar en grupo

► Analizar por qué hoy en día hay personas que viven como si no existiera la vida eterna y por que el "aquí y ahora" les atrae más.

► Hacer una lluvia de ideas con el tema: ¿Qué puedo hacer para alcanzar la vida eterna? En una lluvia de ideas todos los participantes dan sus ideas, alguna persona las escribe, todas las ideas son bienvenidas, no se critica ni hace menos a ninguna. Al final se lee la lista dejando al Espíritu Santo que actúe en cada alma. Él sabe mejor cuáles de las ideas mencionadas son aplicables a la vida de cada uno.

▶ Hacer otra lluvia de ideas con el tema: ¿Qué puedo hacer para que mis seres queridos alcancen la vida eterna? Seguir las instrucciones dadas en el punto anterior.

▶ Buscar en la Sagrada Escritura pasajes que hablen de la vida eterna o del Reino de los Cielos.

▶ Reflexionar sobre el siguiente pasaje del libro de la Sabiduría 3:1-10:

"Las almas de los justos están en las manos de Dios y ningún tormento podrá alcanzarlos. A los ojos de los insensatos están bien muertos y su partida parece una derrota. Nos abandonaron: parece que nada quedó de ellos. Pero, en realidad, entraron en la paz. Aunque los hombres hayan visto en eso un castigo, allí estaba la vida inmortal para sostener su esperanza: después de una corta prueba recibirán grandes recompensas. Sí, Dios los puso a prueba y los encontró dignos de él. Los probó como al oro en el horno donde se funden los metales, y los aceptó como una ofrenda perfecta. Cuando venga Dios a visitarnos, serán luz, semejantes a la centella que corre por entre la maleza. Gobernarán naciones y dominarán a los pueblos, y el Señor será su rey para siempre. Los que confiaron en él conocerán la verdad, los que fueron fieles en el amor permanecerán junto a él. Pero los impíos que menospreciaron al justo y renegaron del Señor serán castigados por sus malas intenciones".

▶ Lo más valioso que tiene un seguidor de Jesucristo es su amistad con Él, pero hay una serie de actitudes que tomamos los hombres que pueden hacer que pongamos en peligro esa amistad. Hacer una lista de las actitudes que pueden poner en peligro la vida de gracia, es decir, nuestra relación de amistad con Dios, como por ejemplo: malas amistades, lecturas, programas de televisión, paginas de internet, etc. Después, escribir los medios concretos para cuidar la vida de gracia o amistad con Dios ante esas situaciones.

Propósitos prácticos

► Durante mis ratos de oración, agradecer a Dios por aquellos momentos en que haya creído en él, obedecido sus enseñanzas, vivido con la esperanza de que es mi Padre y que estoy en sus manos.

► Pedir perdón a Dios por aquellas ocasiones en que me haya comportado como si no creyera en Él o no me importara.

► Dicen que la mejor manera de aprender a nadar, es nadando. Pues lo mismo ocurre con la fe: la mejor manera de creer en Dios y creerle a Dios es vivir como si creyéramos en Él, totalmente abandonados en sus manos.

► Buscar siempre medios como la oración y los sacramentos para que me ayuden a ser un gran amigo de Dios.

► Tomar conciencia de lo importante que es vivir en estado de gracia, es decir en amistad con Dios. Y si por alguna razón lo pierdo, acudir al sacramento de la Reconciliación.

► Pedir ayuda al Espíritu Santo para que me ayude a conservar mi amistad con Dios.

► Vivir diariamente como si fuera el último día de mi vida.

► Poner todo de mi parte para compartir con los que me rodean lo que he aprendido en este capítulo.

Oración

Oración por los hijos

Padre de bondad, me pongo ante tu presencia pidiéndote,
de todo corazón,

que pongas bajo tu protección los hijos que tú,
en tu infinita bondad, me has dado.

Sé que de Ti salieron, y que los debo de ayudar
a volver a Ti.

No permitas que te ofendan con sus pensamientos, acciones
o palabras.

Cuídalos en esta vida, mantenlos cerca de tu corazón

y al final de sus días, llévalos a gozar de tu presencia.

*Te pido por mis hijos chicos, esos pequeños tuyos,
para que cuides su inocencia.*

*Por mis hijos adolecentes, para que seas
Tú su compañero durante esa etapa de su vida.*

*Por mis hijos adultos para que sepan acudir a ti antes de
tomar decisiones importantes, propias de esa etapa.*

Ayúdame Señor para que los sepa llevar a Ti,

*para que encuentren en mí guía y fortaleza,
cariño y amparo.*

Perdona mis debilidades, suple mis carencias.

Y mándanos ir a ti, para que con tus ángeles y tus santos te
alabemos eternamente.

Todo esto te lo pedimos en nombre de nuestro
Señor Jesucristo.

Amen.

CAPÍTULO 10

▼▼▼▼▼▼▼

LA MUJER DE PROVERBIOS 31

Una mujer de carácter, ¿dónde hallarla?
Es mucho más preciosa que una perla.
Sabe su esposo que de ella puede fiarse:
con ella saldrá siempre ganando.
Le reporta felicidad, sin altibajos,
durante todos los días de su vida.
Le tendió la mano al pobre,
la abrió para el indigente.
Va irradiando salud y dignidad,
mira con optimismo el porvenir.
Lo que dice es siempre muy juicioso,
tiene el arte de transmitir la piedad.
Atenta a las actividades de su mundo,
no es de aquellas que comen sin trabajo.
Sus hijos quisieron felicitarla,
su marido es el primero en alabarla:
"¡Las mujeres valientes son incontables,
pero tú a todas has superado!"
¡El encanto es engañoso, la belleza pasa pronto,
lo admirable en una dama es la sabiduría!

PROVERBIOS 31:10-12.20.25-30

Objetivo

Vivimos en una sociedad donde se valora al ser humano, y de manera especial a la mujer, no por lo que es, sino por lo que tiene: belleza, gracia, fama, poder, éxito, dinero, posesiones materiales, etc.

Este capítulo quiere enseñarnos a ver al ser humano, sea hombre o mujer, como lo ve Dios. Se trata de comprender que su valor proviene de ser una creatura de Dios y de que lo que en este mundo vaya adquiriendo de conocimientos, posesiones materiales, son simplemente medios para llegar a ser lo que está llamado o llamada a ser.

Texto bíblico: *Proverbios 31:10-31*

Introducción al personaje

¿Quién es la mujer de Proverbios 31?

La mujer de Proverbios 31 no es un personaje bíblico como tal. El libro de Proverbios en su capítulo 31 nos habla de una mujer, es decir, de un ser humano que utiliza las cualidades que Dios le dio y con ellas hace el bien.

Este capítulo va a ser diferente a los demás, ya que más que hablar sobre esta mujer, estudiaremos lo que dice la Sagrada Escritura sobre cómo se debe comportar un ser humano, para así nosotros aprender y luego poderlo aplicar a nuestra vida.

Nos preguntaremos: ¿qué fue aquello que Dios me dio? Quizás una personalidad alegre o una enérgica, quizás buen sentido del humor o la capacidad de ser fuerte ante las adversidades; posiblemente, liderazgo humano, o laboriosidad. Y luego nos preguntaremos ¿qué estoy haciendo con esos dones que Dios me dio?, ¿cómo los estoy poniendo al servicio de Dios y de la comunidad?, para que al final de nuestras vidas oigamos: "Muy bien, servidor bueno y honrado; ya que has sido fiel en lo poco, yo te confiaré mucho más. Ven a compartir la alegría de tu patrón" (Mt 25:23).

En fin, este capítulo será eminentemente práctico, y está colocado intencionalmente al final del libro para que, una vez terminada la lectura y el estudio sobre las mujeres del Antiguo Testamento, vayamos al mundo y cumplamos con el mandato misionero de Jesús: "Vayan, pues, y hagan que todos los pueblos sean mis discípulos. Bautícenlos en el Nombre del Padre y del Hijo y del Espíritu Santo, y enséñenles a cumplir todo lo que yo les he encomendado a ustedes. Yo estoy con ustedes todos los días hasta el fin de la historia" (Mt 28:19-20). Esto lo haremos utilizando esos dones que Dios nos dio.

Desarrollo de la historia bíblica

En este caso no hay una historia como tal, sino que es una descripción de cómo debe ser una mujer, en sí, cualquier ser humano.

Con esta sección del capítulo 31 concluye el libro de los Proverbios. Se le ha designado con diversos nombres: "poema en honor de una mujer perfecta", "la mujer valiosa", "elogio a la mujer hacendosa", "una buena ama de casa", "una mujer con carácter noble", "la esposa ideal", "acróstico a una mujer ejemplar", etc. Todos estos nombres tienen como común denominador el aprecio a la manera ideal de comportarse de una mujer.

El libro de los Proverbios contiene un enorme tesoro de enseñanzas para que el ser humano se comporte de manera adecuada ante diversas situaciones. Pertenece al género literario de los "libros sapienciales", los cuales tienen como objetivo ofrecer una serie de enseñanzas o instrucciones sobre el bien vivir. Buscan instruir y hacer reflexionar sobre la manera de comportarse en la vida, siempre buscando lograr ser lo que Dios quiere de él o de ella.

Por lo tanto en este capítulo intentaremos descubrir qué es lo que Dios quiere de cada uno de nosotros en el estado y condición de vida en que nos ha llamado.

¿Qué nos enseña la mujer de Proverbios 31?

Grandes enseñanzas podemos obtener de este pasaje bíblico. Para ello es necesario reflexionar, primero, en cómo me veo a mí mismo, reconociendo mis cualidades y aceptando mis limitaciones; después, debo tratar de comprender cómo me ve Dios, para así poder descubrir su mano amorosa en mi vida y, finalmente, pedirle que me haga el ser humano que Él quiere que sea.

Cómo me veo a mí mismo

- ► ¿Como hijo de Dios?
- ► ¿Como miembro de la gran familia de la Iglesia?
- ► ¡Triste, bendecido, cuidado, aplaudido, festejado, acompañado, solo, amargado, esperanzado, sin rumbo fijo, viviendo lo que me va llegando, comprometido con mis responsabilidades, honrado, desamparado, confrontado, paciente, tranquilo, amoroso, desabrigado, seguro, inseguro, dolido, anhelante, optimista, cansado, confiado, ilusionado, feo, guapo, muy gordo, muy chaparro, muy alto, muy feliz…?
- ► ¿Cómo vivo mi vida?
- ► ¿Como si el tiempo pasara para nada?
- ► ¿Consciente que sólo tengo una vida y de que el tiempo pasa?
- ► ¿Consciente de que cada día que pasa es un día que estoy más cerca de la vida eterna?
- ► ¿Cómo reacciono ante las dificultades?

Cómo me ve Dios

- ¿Como su hijo?
- ¿Como un producto de su creación?
- ¿Como una obra de arte salida de sus amorosas manos?
- ¿Como un bella pieza?
- ¿Como una muestra de su infinita sabiduría?
- ¿Como un ser único e irrepetible para quien creó el mundo y todo lo que en él se contiene?

Sí, verme como lo que soy: una creatura de Dios, salida de sus manos amorosas. Una vida humana que, aunque haya pasado por muchos altibajos, fue creada por Dios y Él no se equivoca. Una vida que quizás necesita ponerse en línea con aquello que nos pide el Señor, pero para eso tenemos la ayuda de los sacramentos. Acudamos al sacramento de la Reconciliación, hagamos un examen de conciencia, experimentemos dolor por haber ofendido a Dios, digámosle nuestros pecados al sacerdote y después de hacer un firme propósito de no ofenderle más, cumplamos la penitencia. Y de ahí a recibirle a Él en el sacramento de la Eucaristía.

- Después de reflexionar en los puntos anteriores, podemos pasar a los siguientes pasos:
  - ▷ Descubrir la mano amorosa de Dios, en cada una de las circunstancias de mi vida
  - ▷ En mis primeros años de vida.
  - ▷ En las actuales circunstancias.
  - ▷ En mis relaciones con los demás.
  - ▷ Incluso en el dolor, los problemas, los sufrimientos y las enfermedades. Ahí también está Dios.

Y finalmente:

Pedirle a Dios que me haga el ser humano que él quiere que sea.

Pedirle que yo, su hijo, sea capaz de poner a su servicio y de mis hermanos los hombres, todas mis capacidades para así ser ese ser humano "valioso", "ideal", "hacendoso", "de noble carácter", "ejemplar", como el de Proverbios 31.

¿Qué nos dice el *Catecismo de la Iglesia Católica*?

§ 27   El deseo de Dios está inscrito en el corazón del hombre, porque el hombre ha sido creado por Dios y para Dios; y Dios no cesa de atraer hacia sí al hombre hacia sí, y sólo en Dios encontrará el hombre la verdad y la dicha que no cesa de buscar. La razón más alta de la dignidad humana consiste en la vocación del hombre a la comunión con Dios. El hombre es invitado al diálogo con Dios desde su nacimiento; pues no existe sino porque, creado por Dios por amor, es conservado siempre por amor; y no vive plenamente según la verdad si no reconoce libremente aquel amor y se entrega a su Creador (GS 19,1).

§30:   Dios sigue llamando al hombre.

§33:   El ser humano y la existencia de Dios.

§68:   Por amor Dios se ha revelado y dado al hombre.

§142:   Por la medio de la Revelación Dios habla al hombre.

§143:   Por la fe el hombre se somete a Dios.

§229:   Por la fe el hombre se vuelve a Dios.

§231:   Dios rico e amor y fidelidad.

§268:   Dios es todopoderoso.

§271:   El poder de Dios no es arbitrario.

§274:   Nada es imposible para Dios.

§278:   Creer en el amor de Dios

§295:   Dios crea al mundo con su sabiduría

Cuestionario para la reflexión personal

▶ ¿Soy capaz de amar, sacrificarme, estar alegre, reír, hacer felices a los demás, dar con generosidad, trabajar alegremente, trabajar aunque me cueste, servir, curar el cuerpo y las almas de los demás, ayudar a quien lo necesita, animar, enseñar, guiar, dar esperanza, orar, consolar, sonreír, demostrar con mi vida que vale la pena vivir, vivir como quien tiene ganas de vivir, cantar, silbar, trabajar por algo que valga la pena?

▶ Hacer una lista de mis cualidades. Sin duda, algo bueno debo tener para compartirlo con los demás.

▶ A continuación se dan una serie de cualidades humanas. Sirva esta lista como guía, si bien, incompleta:

▷ Acomedido	▷ Enérgico
▷ Adaptable	▷ Entusiasta
▷ Afectuoso	▷ Espiritual
▷ Alegre	▷ Estable
▷ Analítico	▷ Estudioso
▷ Animoso	▷ Feliz
▷ Bondadoso	▷ Fiel
▷ Cariñoso	▷ Flexible
▷ Colaborador	▷ Franco
▷ Compasivo	▷ Honesto
▷ Comprensivo	▷ Honrado
▷ Conciliador	▷ Ingenioso
▷ Creativo	▷ Intelectual
▷ Culto	▷ Inteligente
▷ De buen carácter	▷ Leal
▷ De fiar	▷ Líder
▷ Determinado	▷ Lógico
▷ Disciplinado	▷ Luchador
▷ Ecuánime	▷ Maduro

- ▷ Misericordioso
- ▷ Optimista
- ▷ Organizado
- ▷ Perseverante
- ▷ Piadoso
- ▷ Practico
- ▷ Previsor
- ▷ Prudente

- ▷ Puntual
- ▷ Responsable
- ▷ Con capacidad para escuchar
- ▷ Seguro de mí mismo
- ▷ Simpático
- ▷ Tenaz
- ▷ Trabajador

Preguntas y actividades para realizar en grupo

► Hacer una lluvia de ideas sobre el tema "La verdadera felicidad". ¿Qué es lo que da la verdadera felicidad? Acordarse de que todas las ideas son válidas. No se puede despreciar ninguna. Un miembro del grupo tomará nota y al finalizar leerá la lista.

► Los sentimientos son buenos, nos permiten relacionarnos con los demás; pero cuando nos dominan, en lugar de nosotros dominarlos a ellos, se convierten en un problema, ya que nos convertimos en sus esclavos. ¿Cómo hacer para no dejarnos llevar por los sentimientos?

► ¿Qué podemos hacer para poner al servicio de Dios y de nuestros hermanos todas nuestras capacidades para llegar a ser un hombre o una mujer "valioso", "ideal", "hacendoso", "de noble carácter", "ejemplar", según la descripción de Proverbios 31?

► Reflexionar sobre la siguiente afirmación: "Una 'buena' vida no implica sentirse feliz siempre. Una buena vida viene de vivir de cara a Dios".

Propósitos prácticos

Este libro ha llegado a su fin. Para que las enseñanzas que hayas podido sacar del mismo no se queden en el aire o se olviden dentro de un mes, me permito hacerte algunas sencillas sugerencias:

1. Escribe un diario. Un diario te ayudará a comprender:
   - ► Por lo que has pasado
   - ► Tus sufrimientos
   - ► Aquello que te causa alegría
   - ► En que momentos estas más susceptible
   - ► Lo que te incomoda

Te ayudará a ver:
   - ► Desde dónde has venido
   - ► Tu progreso como persona
   - ► Tu progreso espiritual
   - ► Las buenas experiencias que haz tenido
   - ► Que a pesar de muchos obstáculos estás aquí... vivo, dispuesto a seguir adelante.

Te dará una perspectiva histórica sobre lo que has experimentado, sentido, apreciado, confrontado, soportado.
   - ► Lo bueno, celébralo.
   - ► Lo malo, admítelo, repáralo, cámbialo.

2. Busca un modelo a seguir. Encuentra a alguien a quien valga la pena imitar, una persona que al pasar, vaya dejando, como dice san Pablo en su segunda carta a los Corintios: "el buen olor de Cristo".

3. Elige el medio ambiente en el que te vas a mover.
   - ► Presta más atención a las personas que te rodean.
   - ► Invierte tu tiempo en cultivar buenas amistades, en frecuentar aquellas personas o grupos, que te hagan sacar lo mejor de ti mismo

4. Elige ser una buena persona
   - ► Haz una elección consciente: "quiero ser una buena persona" y voy a poner los medios para lograrlo.
   - ► Seré buena persona siempre, cada minuto.
   - ► Sé consciente de que tu cara pertenece a los demás.
   - ► Da a los demás el beneficio de la duda.
   - ► Siempre piensa bien de los demás.
   - ► Nunca hables mal de ellos.

5. Toma las riendas de tui vida. Tu vida depende de ti.
   - ► Hay dolores del pasado que pueden inhibirte o paralizarte. No los dejes volver, pertenecen al pasado.
   - ► Sal de ese circulo de dolor, de incomprensión, de pesadilla.
   - ► Comprende que mientras más recorras el mismo surco, más profunda se hará la herida.

6. Vive la caridad
   - ► Vive los valores morales, éticos y religiosos.
   - ► Te preguntas ¿cómo hacerlo?
   - ► Ve cómo se comportan otras personas a quienes tu respetas.
   - ► Haz lecturas positivas. La conversión de San Ignacio de Loyola comenzó leyendo vidas de santos.
   - ► Asiste a clases de formación en la fe, de la Sagrada Escritura, donde podrás aprender más sobre Dios, su amor, sus gracias y tus hermanos los hombres.
   - ► Acude a grupos en la Iglesia. Ahí encontrarás personas que quieren seguir más de cerca al Señor.

7. Cambia tu actitud
   - ► Claro que cuesta. Si las cosas fueran fáciles, cualquiera las haría.
   - ► No importa que cueste…cambia.

- ▶ Tendrás que tolerar el dolor que produce el cambio, todo cambio cuesta.
8. Vive por y para Dios y los demás.
   - ▶ Vive por algo y alguien más que no seas tú mismo.
   - ▶ Basta de querer ser siempre el centro de atracción.
   - ▶ Basta de ser siempre la víctima.
   - ▶ No va a ser fácil. Sin querer, te van a herir, vas a sufrir, va a haber dificultades.
   - ▶ Empieza a dar a los demás, sobre todo, a tu esposo, hijos, vecinos, extraños, comunidad, ciudad y país.

Oración

Señor, hazme un instrumento de tu paz:
donde haya odio, ponga yo amor,
donde haya ofensa, ponga yo perdón,
donde haya discordia, ponga yo armonía,
donde haya error, ponga yo verdad,
donde haya duda, ponga yo la fe,
donde haya desesperación, ponga yo esperanza,
donde haya tinieblas, ponga yo la luz,
donde haya tristeza, ponga yo alegría.
Oh Señor, que yo no busque tanto
ser consolado, cuanto consolar;
ser comprendido, cuanto comprender;
ser amado, cuanto amar.
Porque es dándose como se recibe;
es olvidándose de sí mismo como uno se encuentra
a sí mismo;
es perdonando, como se es perdonado;
es muriendo como se resucita a la vida eterna.
Amén.

SAN FRANCISCO DE ASÍS